外文醫學參考工具書舉要

沈寶環／校正
顏澤湛／編著

臺灣 學生書局 印行
Student Book Co., Ltd.
198, Ho-Ping East Road, 1st Section
Taipei, Taiwan, Republic of China 106

沈序

大陸學人顏澤湛先生的著作“外文醫學參考工具書舉要”在臺北學生書局出版了，記得去年九月我在上海時，睽違了近半世紀的顏先生，由兩位我過去的學生何建初君，賈肇晉君陪同到餐館來看我。就在那個場合中顏先生將他半生心血的著作託付與我，他更向我提出兩項要求：幫助他將著作在臺灣出版，同時將內容作適當的校正。略一翻閱，我慨然答應了下來，現在這部書問世了，在我想像中顏先生嚴肅的面孔上，一定會露出了笑容。就我而論，我總算對顏先生有個交代，心中如釋重負。

讀者也許會問：顏澤湛何許人也？沈寶環和他有甚麼關係？爲甚麼會答應幫他校正、寫序，更協助出版這一部書？在臺灣的讀者也許對他陌生，但在大陸醫學圖書館界却是有名人焉。他是文華圖書館學專科學校畢業，除了一度在文華講授“西文參考資料”之外（他獲有教育部講師證書），幾乎一生的工作都和醫學圖書館學結有難分難解之緣。例如他曾擔任上海醫科大學圖書館情報定題快報(Smusdinf)的編審（此一快報在顏先生主持之下出了637期）。並在若干大專院校，及醫師組織講解如何使用 Index Medicus, Chemical Abstracts, Biological Abstracts, Science Citation Index,

Current Contents 等工具資料的方法。

在醫學圖書館學文獻之中，有關參考資料的中文出版品並不太多。在臺灣最主要者爲范豪英教授編著的醫學參考資料選粹（民國 78 年，學生書局）。如果將兩部書比較，范豪英教授的著作的優點在“精”，本書的長處在於“博”。兩部書都由學生書局出版，因此從生意經上來看，學生書局是“質”“量”兼顧。

站在我的立場，我更有個人特別喜悅的理由，顏澤湛先生是我的學長，先嚴　紹期先生的學生。范豪英教授是我在東海大學任教時的得意門生，現在「青出於藍而勝於藍」。他曾著有「醫學圖書館學」（民國 74 年，中國圖書館學會），在我們這一行裏，豪英是青年才俊，頂尖人物。

爲了本書的校正，我的確花了不少時間，也吃了若干苦頭，但我並無怨言。我覺得丟開私的關係不談，只就“促進海峽兩岸文化交流”這一個目的而論，一切作爲都是值得的。

中國圖書館學會理事長

沈寶環　謹序

1991.10.1.

彭序

高爾基說："書是人類進步的階梯"，"書是知識的源泉"，而工具書則是人們打開知識寶庫的鑰匙。

學習要有一定的方法，有了好的方法，就可少走彎路或不走彎路。人們的記憶是有限的，不可能將什麼知識都儲存在腦海裏，然而在浩瀚的知識海洋中，如何才能需求到自己所需要的資料呢？那就要善于了解參考工具書、利用工具書。

工具書實際上是一種二次文獻，如能熟練地掌握它，就能爲查找第一手資料創造有利的條件。

圖書館學專家顏澤湛先生集數十年之經驗，在工作之暇編寫了《外文醫學參考工具書舉要》，此書不僅能爲醫務工作者提供方便，同時也可供醫學圖書情報專業師生在教研與學習時的參考。此書共分十章，內容豐富，易於掌握，特爲介紹。我相信廣大讀者一定會願意獲得這把"鑰匙"，也一定會很好地利用這把"鑰匙"的。

彭明江

前　言

參考諮詢工作是圖書館的心臟，是圖書館的靈魂。對醫學圖書館說來，尤爲重要。這項服務工作的優、劣，正是衡量一所圖書館的標尺。美國參考書權威人士 I. G. Mudge 曾經說過：“一所圖書館的參考工作，最重要的是要有一個恰當的和綠葉長青的參考書收藏，還要有一組熟練參考書，有一定經驗，能運用正確的方法，使用對味書的參考助理人員；具備了這兩個重要的因素，才能稱爲一個有成效的參考部門”。因此，人與書是相輔相成、缺一不行的；一個完善的參考書收藏，如果由一個無知的人去管理，那是不會發揮它應有的作用的，相反，只有幾本參考書而由一個善於使用的人去管理，就能發揮驚人的效果。

參考工具書不是供人們閱讀的，而是供檢索諮詢的。如文摘、索引、書目、字典、辭典、指南、手册、百科全書等皆是。但有些書明明是教科書，如：

Wilson, Jean eds. Harrison's principles of internal medicine.-12th ed.- New York: McGraw-Hill, 1991. 2v.

Wyngaarden, James B. & Smith, Lloyd H., Jr. eds. Cecil textbook of Medicine.-17th ed.- Philadelphia:

Saunders, 1988. 2v.

由於前者是內科理論經典著作，後者是內科臨床經典著作，各科醫師經常要翻閱、查找、引用。實踐證明，像這樣的書在它的特定條件下，自然而然地進入參考工具書的範疇了。因此，除明顯的參考工具書外，要確定一種刊物是不是參考書，要結合具體情況和實際使用的情況，辯證地去對待。

三十年代國內的參考書有何多源：《中文參考書指南》、鄧衍林：《中文參考書舉要》；1949 年後有趙繼生：《中文科技參考書目提要》。目前有國立北京圖書館：《參考書目》連續性出版物等。醫學參考書目，尙付闕如。今天醫科大學及醫學院已開始設置醫學文獻檢索課程，面向研究生與本科生，他們在接受本課程以後，覺得大開眼界。曾有一位研究生上完醫學文獻檢索課程以後，寫道：讀了這門課程以後，才知道世界上還有這些有用的工具書，眞是人生一大快事！我國醫學事業要大發展將有賴於青年一代，他們將借助於醫學文獻檢索工具而博覽群書，可以起到針對性的檢索，可以省時省事，可以取長補短，運用之妙，存乎一心。

1987 年春三月，本系主任張自鈞教授囑編外文醫學參考工具以應需要。當 1983 年第一屆全國醫學圖書館文獻檢索培訓班時，曾編過一本外文醫學參考書百種舉要，即以此爲藍本，作了大量增刪；在編製過程中，承本系有關同仁，給予大力支持，推薦書刊，協助打字。稿成以後，又承沈寶環教授和張自鈞教授於百忙中校勘，提出很多有益的意見，協助我做了進一步地纂改工作。對這些專家及同仁在此致以衷心的感謝！

全書共收外文醫學參考工具書 530 餘種，一部份屬於核心參考書刊，一部份屬於時效性參考書刊；資料貴在及時，爲此儘量選擇 1980 年以後出版的刋物，使材料新穎，各書均作提要，介紹其梗概，書末編有著者及關鍵詞索引，以利檢索。

値茲我國醫學事業突飛猛進之際謹將本書奉獻給全國醫師、各大學醫學院的研究生和本科生及全國大學圖書館參考部門，並熱誠地歡迎使用者批評指正！

最後更要謝謝沈寶環教授和彭明江教授爲我寫序。

顏澤湛

於上海醫科大學工字樓小齋

外文醫學參考工具書舉要

目　次

一、醫學參考書目

根據不完全的統計，從 1679 年起美英兩國已重視醫學參考書的編輯工作，在 200 多年裏共收搜了 17,221 種（其中包括美國政府及政府機關出版的醫學參考書 1050 種）。爲了理解外文醫學參考書的概貌，在這裏列舉了從 1679 年起的醫學參考書目，直到美國國立醫學圖書館的新書通報，美國國立醫學視聽中心書目以及美國國立醫學視聽中心影片與錄像節目錄；同時還收編了十年動亂時間美國編輯的中國醫藥衛生書目（請見 9）。

1. *Handbook of medical library practice* / Louise Darling, editor; David Bishop, Lois Ann Colaianni, associate editors.- 4th ed.- Chicago, Ill.: Medical Library Association, c1982-1988 3v.
   v.1: Public services in health science libraries. 334p. 1982.
   v.2: Technical services in health science library. 368p. 1983.
   v.3: Health science librarianship and administration.
   593p. 1988.

醫學圖書館實踐手册

本書第一版問世，距今 40 多年。在2版3版出書期間，“醫學”這一名詞已被 Health Science 所代替。第4版把這一學科的嶄新資料介紹予衆。全書第一、二兩卷。已由上海醫科大學圖書館、南京醫學院圖書館合譯，1989 年由中國高等醫藥院校圖書館協會發行。第三卷 1988 年出版，現正組織翻譯工作，估計明年可以出版。

編者 Louise Darling 對本書作了很高的評價，她說：這本手册將成爲醫學圖書館館員的“聖經”了。

下面是本書第2版，第11章：醫學書目參考服務工作，附有 1965 種醫學參考書目，有提要，分類編排，頗具參考價值，特爲介紹：

2. *Handbook of medical library practice; with a bibliography of the reference works and histories in medicine and the allied sciences.* / Janet Doe & Mary Louise Marshall.- 2nd ed. rev. & enl.- Chicago, A.L.A., 1956. xv, 601p.

3. *Information sources in the medical sciences.* L.T. Morton & S.S. Godbolt, editors.- 3rd ed.- London: Butterworths, 1984. 534p.

醫學科學的情報來源　（第3版）

Dr. Johnson 認爲知識應分爲兩類：㈠我們學到的知識；㈡我們知道向何處去找到有關它們的信息。正是由於知識激增，如何從浩如煙海的知識裏，找到我們所需要的信息，正是一門新的學科面對學者。本書第二版書名爲《Use of Medical Literature》（醫學文獻的利用）。第三版由於內容擴充而改名。每一章節均增新刋及情報服務。另增三章關於視聽資料，醫學文獻實踐和爲病員和大衆提供的信息。是一本從英人的角度論述醫學情報源的書。

4. *Medical reference works 1679-1966*: a selected Bibliography / J.B. Blake, editor.- Chicago, Ill.: Medical Library Association, 1967.
vii, 343p.
1st supp: MV Clark, editor.- 1970
2nd supp: JS Richmond, editor.- 1973
3rd supp: 1973-1974. 1975.

醫學參考書目 1679 ～ 1974

美國醫學圖書館協會出版，收編1679～1966年內2700種醫學參考書；從1970～1975 年又編了三個補篇：第一補篇是1967～1968年收編315種，第二補篇是1969～1972年收編500種，第三補篇是1973～1974年收編244種。每本詳其著錄，並附簡短提要，足資參考。

5. *Health science books 1876-1982*.- Essex, Bowker publishing Co., 1982.
3800p. ISBN 0-8352 1447-8

醫學書目 1976～1982

這本書綜合了107年的醫學圖書目錄，收書10,000餘册，採用美國國會圖書館25,000個主題詞編製書目並用美國國立醫學圖書館的主題詞表作互見參照。

6. *Subject guide to government reference books* / Sally Wynkoop, editor.- Littleton, Colo., Libraries Unlimited, 1972.
276p.

政府參考書主題指南

選錄了 1050 種美國政府及政府機關出版的參考書，其着重點是 1968 年以前的綜合書刊和連續性出版物。第三部份是科學技術，包括醫學及有關學科的參考書目，每條均附提要，索引注明美國國會圖書館書號，以利檢索。

7. *Guide to reference material* / AJ Walford.- 4th ed.- Library Association, 1980.

v. 1

參考資料指南

按國際十進分類法編排。第一卷中有 48 頁資料是有關醫學及獸醫學的，其字典一章頗具特色。

8. *A Companion to medical studies*.- Oxford, Blackwell, 1976-1980.

3v.

v.1: Anatomy, biochemistry, physiology and related subjects, 1976.

v.2: Pharmacology, microbiology, general pathology and related subjects.- 2nd ed.- 1980

v.3: Medicine, surgery etc., 1974.

醫學研究指南

全書共三卷，可作爲醫學各科專業深入研究之參考。

9. *A Bibliography of Chinese sources on medicine and public health in the People's Republic of China: 1960-1970*.- Bethesda, Md., National Institutes of Health; (For sale by the Supt. of Docs., U.S. Govt. Print Off, Washington) 1973.

xxiv, 486p. (DHEM publication no. NIH 73-439)

中國醫藥衛生書目 1960～1970

這個書目是美國國會圖書館委託醫學國際中心編輯發行的。所收編的雜誌文獻、日報資料、圖書和小册子共計 15,000 條。包括的時間是 1960～1966 年間，美國國立醫學圖書館和美國國會圖書館入證的——有關中國出版的醫學衛生資料。按類編排，把報刋與小册子分爲兩部份。除掉目錄信息外，凡雜誌引文的著者，均注明其工作單位。論文引文連同譯文，均注明 NLM（美國國立醫學圖書館）及 LC（美國國會圖書館的書號，以便讀者按號借閱。書末附使用的縮寫字及雜誌索引。

10. *U.S. National Library of Medicine Current Catalog.- Jan. 1-14, 1966-.* Bethesda, Md.: U.S. Dept. of Health, Education, and Welfare, Public Health Service; Washington: For sale by the Supt. of Docs., G. P. O., 1966-

Cumulated quarterly; annually; sexennially, 1965/70; and quinquennially, 1971/75- Running title: NLM Current Catalog.

美國國立醫學圖書館新書通報

美國國立醫學圖書館於 1840 年就開始編製書目，第一本目錄(Catalogue of books in the Library of the Surgeon General's Office)是手抄本，共21頁。1880～1961編印字典式書目，叫做(Index-catalogue ...)；1950～1954叫做(The Armed Forces Medical Library Catalog)；1955-56叫做(National Library of Medicine Catalog)；1966年1月才改現名。從1973年起，開始使用Catline數據聯機系統編印新書通報，共分5部：

(a) 單行本的著者及書名部份
(b) 連續出版物的著者及刋名部份
(c) 單行本的主題詞部份
(d) 連續出版物的主題詞部份
(e) 醫學參考書部份（1984年增設）
(f) 醫學編目員注意事項

出版情況有：季度累積本，年刋本（已出版到1983 年），六年累積本，（1965～70）及五年一次累積本（1971～75），但（1976～1980）五年累積本，只供應縮微膠片（US $26.25）。這本新書通報，爲我們提供了按英美編目規則第2版(AACR2)編目條例的實例的參考，和按美國國立醫學圖書館的分類法 1981 年第4版的分類法，及如何利用美國醫學主題詞表(MeSH)作主題詞的標引方法等工作的參考。

11. *A History of the National Library of Medicine /*

WD Miles.- Bethesda, Md.: National Library of Medicine, U.S. Dept of Health and Human Services; distr., Washington, D C, G.P.O., 1982.
531p.: ill. (NIH Publication no. 82-1904) $14.00
S/N 017-052-00224-4

美國國立醫學圖書館館史

19～20世紀美國陸軍醫學圖書館頗負盛名，對美國醫學圖書館事業影響很大，現在叫做美國國立醫學圖書館（簡稱 NLM）。Miles 以流暢的筆調，敍述了該館的起源和發展。著者强調了 J. S. Billings在圖書館專著、雜誌，和手稿及人像收證方面的技術。他對美國醫學索引的發展直到 MEDLARS（醫學文獻分析檢索系統）作了充分的介紹。最後還敍述了美國醫學視聽中心最近的發展概況。

12. *U.S. National Library of Medicine. National Library of Medicine classification;* scheme for the shelf arrangement of books in the field of medicine and its related sciences.- 4th ed.- Bethesda, Md.: (For sale by the Supt of Docs., United States G.P.O., Washington, 1981.
xxi, 286p.

美國國立醫學圖書館分類法

這個分類法可以作爲我國醫學院校圖書館分類醫

學圖書及書庫排架工作的參考。

13. *U.S. National Medical Audiovisual Center catalog;* audiovisuals for the health scientist.- 1974- Atlanta (For sale by the Supt of Docs., U.S. G.P.O., Washington)
v.

美國國立醫學視聽中心書目

這是美國國立醫學視聽中心書目，著錄16毫米的影片和錄像帶（這些影片和錄像帶是專供醫學職業教育計劃短期借用的），目錄按名稱字順編排，詳錄名稱、製作者、結構及影片提要，並附購買須知。現已出版1981年版。

14. *U.S. National Medical Audiovisual Center motion picture and videotape catalog;* selected audiovisuals for the health scientist. 1973. Atlanta (For sale by the Supt. of Docs., U.S, G.P.O., Washington).
xil, 178p. (DHEW publication no. NIH 74-506)
ISBN 0093-7363

美國國立醫學視聽中心影片與錄像帶書目

收錄美國國立直感教材中心所收藏的800種，16毫米的影片和錄像帶，專為出借之用。目錄是按影片與錄像帶的名稱字順編排，詳列片名、製作人、時代和內容提要。附主題索引及訂購須知。

15. *Finding the source of medical information*: a thesaurus-index to the reference collection/ compiled by Barbara Smith Shearer & G.L. Bush. Westport, Conn.: Greenwood Press, 1985.
xvi, 225p.

醫學情報來源

這是一本參考書收藏詞彙索引。收編了 447 種醫學參考書及核心教科書。絕大部份是美國出版的參考書但也涉及到加拿大、英聯邦、歐洲或國際出版物。編有外文書名索引。

16. *A Guide to U.S. Government scientific and technical resources*/ Rao Aluri & Judith S. Robinson.- Littleton, Colo.: Libraries Unlimited, 1983.
259p.

美國政府科學技術資料指南

這個指南是協助讀者找到美國政府所出版的科學技術出版物。也可以指引讀者參加討論會、參考會、研究進展、技術報告、期刊、專刊、翻譯、標準、視聽資料來源、索引與文摘、數據庫。情報分析中心，以及參考來源。每一項目都有叙述資料及索引。

17. *Periodical title abbreviations* . . . . . . covering periodical title abbreviations in science, the social sciences, the humanities, law, medicine, religion, library science, engineering, education, business, art and many other fields/ 4th ed. comp. & ed. by Leland G. Alkire, Jr.- Detroit, Gale Research Co., c1983. 3v.

v.1: Periodical title abbreviations: by abbreviation. ISBN 0-8103-0538-0

v.2: Periodical title abbreviations: by title. ISBN 0-8103-0539-9

v.3: New Periodical title abbreviations (Two inter-edition supplements)

期刊刊名縮寫字典（第4版）

它收編了世界各國的雜誌、報刋刋名，總計約55,000條。第4版較第3版約增60％。它概括了科學、社會科學、人類學、法律、醫學、宗教、圖書館學、工程、教育、商業、藝術及其他各科的期刋刋名縮寫。

v.1：期刋刋名縮寫篇（從縮寫刋名查全稱）

v.2：期刋刋名全稱篇（從刋名全稱查縮寫）

v.3：新期刋刋名與縮寫（前兩卷的特別補篇）

它的刋名縮寫主要來源係根據下列目錄：

Union list of serials;

New serial titles;

Ulrich's international periodicals directory;
British union catalogue of periodicals.

二、捷徑性的連續性出版物

連續性出版物，它似書似刋，它有國際標準刋號(ISSN)同時又有國際標準書號(ISBN)；書商時而當書賣，時而當刋預定。有的圖書館把它當書分類編目，也有把它當刋登記，至今還沒有取得一致的處理方法。但是它是捷徑型的情報資料的重要來源，已經爲人們所共識了。讀者要了解世界各國最近對本學科或某一專指性課題研究的進展情況有何報導，雜誌上的文獻比較零碎，書本的總結可能又嫌過時，那就需要查閱年度性或某一階段時間的小結資料，各國知名學者或權威專家，在搜集到一定數量情報資料的基礎上，往往對某學科或某一專指性課題研究的進展，定期地加以綜合論述，往往發表在非書非刋的連續出版物上，作出年度性或一個階段（３～５年）的報導。這些定期或不定期的連續出版物，在它固定的刋名上，總是注明卷期和年份，如：—

Advances in eating disorders. Vol. 1, 1987.

…………………………………………（本書推薦 57 種）

Annals of …………………………（本書推薦 34 種）

Annual review …………………（本書推薦 20 種）

Current advances in ……………（本書推薦 12 種）

Current opinion in ………………（本書推薦 6 種）

Problems in ……………………… (本書推薦 5種)

Progress in ……………………… (本書推薦25種)

Year book of ……………………… (本書推薦33種)

爲了弄清這些連續性刋物的內容，向讀者提供捷徑型專指性的情報資料，僅選擇上列8種物中包括學科龐大或專指性較强的而且近年仍繼續編印出版的，分列把本書附錄，這些連續性刋物，有一個共同的特徵，就是經常收編：會議錄(Proceedings)和學術論文集 (Symposium) 等,值得予以重視。(請參見pp. 226-240)

三、醫家名人錄

各界有聲譽的人都有名人錄的編製，醫學界有聲譽的人也有醫家名人錄的編製。最近，歐美在編製醫家名人錄方面有一種傾向，就是越來越專業化了，例如 Marquis who's who 出版商最近編製了一套《Marquis who's who in Cancer....》還有一種：who's who among Contemporary Nurses等。

18. *Cumulated Index Medicus. Author Section.*

美國醫學索引、著者索引之部

實踐證明，來訪的外賓在醫家人名錄上查不到時，往往在這個索引的著者索引，自然包括其現刊本，可以解決問題，所以參考工具書就要靈活應用才能發揮效益。

19. *Medical sciences international who's who/* 3rd ed.
Harlow: Longman, 1987.
2v.
ISBN 0582901162

醫學國際名人錄（第3版）

它收編了90多個國家，8000多個高級醫學及生物醫學科學家的傳記指南，涉及到生物化學，生物物理學，牙科學，免疫學，移植學，臨床醫學，分子生物學，腫腦學，藥理學，治療學，精神病學，臨床心理學，外科學及麻醉學。原書名爲 "International medical who's who"。

20. *American Man and Women of Science* -- 17th N.Y.: Bowker, 1989-1990.

美國男女自然科學家——物理學家及生物科學家名人錄（卷1～7）

本書共分七卷，收編了大約13萬健在的科學家傳記，其中 75,000 名是新增加的。按科學家的姓氏字順編排。特別應提示的，本書包括生物科學家及公共衞生科學家。

21. *The Who's who of Nobel prize winners*/ Ed. by Bernard S. Schlessinger & June H. Schlessinger.- Phoenix, Arizona, The Oryx Press, c1986.
xii, 212p.
ISBN 0-89774-193-5

諾貝爾獎金名人錄

全書包括 1901 ～ 1985 全部獎金獲得者人名，按化學、經濟、文學、醫學及生理學、和平、物理六大類編排，各類再依年代順序。附人名索引、教育索引，國別或公民身份索引、宗教索引。很多人對諾貝爾獎金獲得者的生平感興趣，苦於查不到， Oryx Press 爲了解決問題而編印。

22. *Biologists*/ David Abott, general editor.- London; Blond Educational, 1983.-
182p.: ill.- (The Biographical dictionary of Scientists)

生物學家

收編死去的和健在的生物學家，側重歷史性。按姓氏字順編排，每條注明姓名，生卒年，有較長的傳略。附詞彙及索引。

23. *Directory of Medical Specialists 1987-1988*/ 23rd ed. Chicago, Ill.: Marquis who's who.
3vs.
ISBN 0-8379-0523-0

醫學專家指南 （第23版1987～1988）

第一版1940年只收編14,000， 23 版新書已增至320,000醫學專家名錄，新編入30,000名。

24. *International who's who in medicine*/ 1st ed. by Ernest Kay.- Cambridge: International biographical centre, 1987.
824p.

國際醫學名人錄 （第1版）

收編世界第一流醫學人士如醫學博士、外科醫師、顧問醫師 、管理人員、高級教師還有護士、牙科醫師、藥理學家，還有公共衞生、康復醫學、心理衞生的專家及研究人員。

25. *Marquis who's who in cancer professionals and facilities*.- Chicago: Marquis who's who, c1985.
802p.
ISBN 0-8379-6501-2

Marquis 癌症專家名人錄

本書是一種地理指南，包括醫師、科學家與癌症中心人物的簡介。還包括其他國家的醫師及科學家。有描述事項及詳細的傳略。附：臨床重點、物理治療、癌病類型、研究重點及專業、中心等索引。

26. *Marquis who's who in Rehabilitation*: professionals & facilities/ 1st ed.- Chicago, Ill.: Marquis who's who, Inc., Professional Publications Division, c1985.-

Marquis 康復專家名人錄

本書分兩個部份，一是全體人員傳記項目，一是設備指南。然後把這兩個部份都按地區編排。在傳記部份著錄容貌、教育及專業情況。設備清單、注明地址、電話號碼、聯繫人、治療類型、方案和人員。索引着眼於臨床重點，職業索引，姓名與中心。

27. *Medical Directory 1990*/ 146th annual issue.- London, Livingstone.
2v.

英國醫學指南 1990

上下兩卷，收集全英醫學界人士的姓名，出生年月、學歷、經歷、主要著作、住址、電話號碼等。書前附英國出版的醫學雜誌目錄等項目，主要是介紹英國醫學界情況。

28. *Chemist & druggest directory 1989*/121st ed./ Kent (United Kingdom) Benn Business Information Service, Ltd., 1989.
v.p.: ill.-
ISBN 0-86382-071-9

化學家與藥劑師指南 1989 （121 版）

全書分 6 指導格

(a) 藥片與膠囊鑒定導格

(b) 製造商與供應商索引格

(c) 買主導格

(d) 藥學的組織格

(e) 醫院藥劑師格

29. *Water Pollution Control Federation. Membership Directory*/ WPCF.- 1983- Washington, D.C.: Water Pollution Control Federation, 1983.
v.

美國水污染控制聯合會會員錄

按會員姓名字順編排。每一條目包括姓名，第一年會員，會員的分支機構，及郵政地址。

30. *Who's who Among Contemporary nurses*/ 1st ed.- Akron, Ohio: Rookard, Gloria & Halls, Gladys, c1984.

美國當代護士名人錄

本書是美國護士傳記，用敍事體描述，附很多相片，有一般的和特種索引助檢。

31. *Who's who in American Nursing*/ 1st ed.- Washington, D.C.: Society of Nursing Professionals, 1984.-
v.

美國護理名人錄

本書的編製是爲了使公衆對護士專業有一個權威性的國家傳記，作爲參考指南。按姓名編排，注明護士學校、研究中心、臨床機構、被誰任命、特別護士等。每條詳注容貌、教育，及專業情況。

32. *Who's who in European Institutions, organization & Enterprises*/ 1985 ed.- Milano: Who's who in Italy S.r.l., 1985.-
v.

歐洲學會、團體及企事業單位名人錄

此係《Who's who in European institutions and organization》的續篇。

33. *Who's who in frontier Science and Technology*/ 1st ed. (1984-1985).- Chicago, Ill.: Marquis who's who, c1984.-
v.

尖端科學及技術名人錄

傳記資料，包括在傳統研究新領域的科學家及進步的技術工作人員等。每一條均著錄本人容貌、教育、及專業情況。按學科領域及附專業編製索引。

34. *Who's who in Special libraries 1982-1983*/ New York: Special Libraries Association, 1982.-
301p.: ill Index $25.00
ISSN 0278-842X

專業圖書館名人錄

實際上是美國專業圖書館會員名錄，按姓名字順編排，詳著姓名、地址及其他信息。

35. *Who's who in the Biobehavioral Sciences*/ B.R. Breibart, editor.- New York: Research Institute of Psychophysiology, c1984.-
xix, 251p.

生物行爲科學名人錄

本書包括 1100 個側面像的健在的心理生理學、心理病症、行爲醫學和生物精神病，心理健康等專家的傳記。包括世界著名的研究員、臨床醫生，和有代表性的行政人員。按姓名字順編排，每一條詳著教育、專業經驗、活動、成員資格、出版物、許可證的發給或證明書、榮譽、及郵政地址。附地理索引。

36. *Women Physicians of the World; autobiographies of medical Pioneers*/ New York: McGraw Hill, 1978.
420p.

世界女醫師自傳錄

這是一本世界女醫師先驅者自傳體的名人錄，全書共收錄 27 個國家 91 名女醫師(限於出生在 1878～1911 年之間的國際醫學界婦女協會會員）。書中人物在其自傳中用樸素簡練的文字描述了自己的家庭背景、教育情況，以及她們怎樣克服種種逆境和困難，堅定不移地走向醫學事業道路的經歷。這對於研究醫學界婦女教育者會感到興趣。

全書按人物生年次序編排。書末附國別及姓名總索引。

四、醫學手册

英文稱 Hand books。德文稱 Handbücher ，一般的出版情況要幾年或幾十年才能出版齊全，德國的Handbücher 比較大而全，着重文獻的歷史性和目錄性。例如："Hand book of Experimental Pharmacology, 1950 ～ 1973年共36卷，全部用英文編寫(Springer 出版)。Mölendorff's Handbuch der mikroskopischen Auatomie des Menschen (Springer) 1929 ～至今尙未出齊。像這樣手册的性質，類似百科全書，我們應當有所識別。

目前趨向，手册包括學科的目前進展和評價的文獻，它的特點是具有較高的參考作用，所以帶有研究性質。圖書館館員爲能善於熟悉手册、運用手册來進行參考諮詢工作是能夠幫助讀者解決問題的。這種類型的手册，正是本章收輯的範圍。現在把 1980 年以後出版的手册，選醫學及有關學科編輯於次：

(一) 一般手册

37. *Encyclopedia of medical organizations and agencies*/ 1st ed.- AT Kruzas et al, editors.- Detroit, Michigan, Gale, c1983.
768 p.

醫學組織與機構手册

這是一個醫學會，專業和自願的協會，基金會，研究機關，聯邦或州之機構，醫學校及衞生學校，情報中心的主題指南。數據庫服務及有關保健醫療組織。採用分類編排，每類裏先國家機關再一般機關。

38. *Handbook of toxinology*/ Ed. by W. Thomas Shier & Shier & Dietrich Mebs.- New York & Basel, Marcel Dekker, Inc., c1990.
viii, 814p.: ill.-
ISBN 0-8247-8374-3

毒素學手册

臨牀醫師發現一種明顯的毒素所引起的疾病，需要鑒別它來選擇最好的治療方法。研究藥理學、神經生物學、生物化學，以及其他各種學科的基礎科研工作者，需要選擇一種毒素來作爲科研的工具。學生對某種特殊毒素的文獻尋求方便的入門途徑。這三種突出的需要，毒素學手册可以迎刄而解。這本手册收集的毒素比較齊全。

39. *International Handbook of Universities and Other Institutions of Higher Education*/ DJ Aitken, editor.- 8th ed.- N.Y. Macmillan Press, 1981.
1205p.

國際大學及其他高等院校手册 （第 8 版）

提供了世界上 112 個國家和地區的大學及其他高等院校的詳細資料。按國家和地區名稱字順編排。書末附校名索引。

㈡ 專業手册

1. 癌 症

40. *Handbook of carcinogens and hazardous substances*/ MC Bowman, editor.- Marcel Dekker Inc., 1982. 750p.

致癌物質與危險物質手册

全書分10章：化學致癌物質概論；烷化劑；芳香族胺與偶氮化合物；雌性激素；眞菌毒素；N一亞硝胺與N一亞硝基化合物；農藥及其有關物質；多核芳烴；毒性金屬及準金屬；及鹼化汚染劑，包括二苯並一P一二惡英及氧芴。文中附數據表，插圖，曲線圖和參考文獻。書末有主題索引。

2. 愛滋病

41. *A.I.D.S.: Everything you must know about Acquired Immune Deficiency Syndrome, the Killer Epidemic of the 80's*/ Janet Bake, editor.- Saratoga, CA,

R & E Publishers, 1983.
109 p. bibliog. $7.95 pa.
ISBN 0-88247-700-5

愛滋病：你應該了解獲得性免疫綜合症，80 年代流行公害

對愛滋病作了綜合性的評論報導。

3. 傳染性疾病

42. *Communicable Disease Handbook*/ LC Bennett & Sarah Searl, editors.- N.Y.: Wiley, 1982.
270p. $15.95 pa.
ISBN 0-471-09271-1

傳染性疾病手册

這本書基本上對免疫學及公共衞生學作了基礎的論述，可以作爲初學者的教科書。對免疫、兒童疾病等類似內容也作了基本的論述。

43. *Control of communicable diseases in man:* an official report of the American Public Health Association/ AS Benenson, editor.- 14th ed.- Washington, DC: the Association, 1985.
xxv, 485p.

人類傳染病的控制

這是美國公共衞生協會的官方報告，全球性的傳染疾病。爲了向衞生工作人員提供情報教材和向公共衞生行政人員提供制定規章和立法的需要。按疾病名稱字順編排。標準著錄注明同義語、ICD-9 號碼、鑑別、傳染媒介、發生、傳染、潛伏期、流行期、易感染以及抗御和控制的方法。並包括解釋的定義。附索引。

4. 環　境

44. *Handbook of Environmental Radiation*/ AW Klement, Jr. editor.- Boca Raton, Fla.: CRC Press, 1982. 475p.

環境輻射手册

手册提供了環境保護，環境取樣，環境監測，環境分析，放射性廢料處理方面的數據和技術資料。全書分三個部份：環境保護；環境取樣；監測與分析及放射性廢料的處理。另有三條附錄：反應堆逸出物對人的常規輻射年劑量計標。輕水冷却反應堆常規釋放的氣體逸出物在大氣中轉運與打散的估標方法。及反應堆逸出物的事故釋放劑量與常規釋放劑量在水域打散的估標。

45. *Handbook of Environmental Geno-Toxicology*/ Eugene Sawicki, editor.- Boca Raton, Fla: CRC Press, 1982. v.1 (327p.)

環境基因毒理學手册（第1卷）

本書第一卷是“環境問題”，按技術用語字順編排。本卷是“A”字頭詞條的一部份。着重討論了脫氧核糖核酸、基因和染色體在環境污染物的侵襲下所發生的變化…由於工農業的迅猛發展，環境中的基因毒物日益增多，對人體、生物的危害越來越大。因此，對環境基因毒理學的研究、討論顯明非常必要。書末附主題索引。

5. 解剖學命名法

46. *International anatomical nomenclature committees. Nomina Anatomica*: approved by the 11th International Congress of Anatomists at Mexico City, 1980: together with nomina histologica 2 ed. and nomina embryologica, 2 ed./ prepared by subcommittees of the International Anatomical Nomemclature committees.- 5th ed.- Baltimore, Md.: Williams & Wilkins, c1983.
192p.

解剖學命名法（第5版）

包括第2版組織、胚胎學命名法。經過國際解剖學命名委員會審定。本版附解剖學領域的大事記。爲了一般讀者附縮寫會員名單。專門名詞按系統編排。目次表很詳細。無索引。

6. 臨床化學

47. *CRC Handbook of Data on Organic Compounds*/ RC Weast, MJ Astle, editors.- Boca Raton, Fla.: CRC Press, c1985.
2v.

CRC 有機化合物數據手册

按有機化合物的名稱字順編排。注明 Beilstein 及 CAS（化學文摘社）的化合物編號。光譜參考和分子結構另單排列。附多種索引。

48. *Suspect chemicals sourcebook*/ prepared by Springborn Regulatory Services, Inc.- 3rd ed.- Burlingame, Calif.: Roytech Publications, c1983.
v.

可疑的化學品資料來源手册（第3版）

前版書名爲："Suspect chemicals sourcebook and update" 這些化學藥品曾被引用在17個來源文獻，按名稱及 CAS 號碼編排。諸如使體溫變化的致癌物質，致突變物質，或者報告需要或者需要調查。包括選擇的來源文獻。每一條均註明 CAS 號碼、文獻號碼、主題號碼及化學名稱。

49. *CRC Handbook of clinical chemistry*/ Mario Werner, editor.- Boca Raton, Florida, CRC Press, 1981-2. 3v.: ill.

CRC 臨床化學手册

此書共分三部份：無機化學、有機化學和臨床化學。

7. 神經化學

50. *Handbook of neurochemistry.* / 2nd ed. Plenum Pr. 1982. 9v.

v.1: Chemical & cellular architecture, 516p. $75.-- ISBN 0-306-40861-9

v.2: Experimental neurochemistry. 498p. 1982. $75.-- ISBN 0-306-40972-0

v.3: Metabolism in the nervous system. 724 p. $95.-- ISBN 0-306-41153-9

v.5: Metabolic turn over in the nervous system. 1983. 518 p. $75.-- ISBN 0-306-41323-X

v.6: Receptors in the nervous system. 1984. 694p. $89.50 ISBN 0-306-41411-2

v.8: Neurochemical system. 1984 694 p. 700p. $89.50 ISBN 0-306-41579-8

神經化學手冊（第2版）

全書共9卷尚未出齊。

8. 食品衛生

51. *Lowis, Richard J. Sr. Food additives handbook*/ Richard J. Lewis, Sr.- New York: Van Nostrand Reinhold, c1989.-
xxxi, 592p.- Includes bibliographical references (p. 573-592) & Index.

食品添加劑手册

所編條目係按實質名稱字順排列，注明 CAS 編號、特性、同義詞、在食品中的作用及合格的外形。綜合互見索引，可引見條目編號。

9. 性療法

52. *Sourcebook of sex therapy, counselling and family planning*/ Judith Norback, editor, Patricia Weitz, Assistant editor.- N.Y.: Van Nostrand Reinhold, c1983.
vii, 331p. $32.95
ISBN 0-442-21204-6

性療，諮詢與計畫生育資料來源手册

性療與計劃生育是嶄新的醫學。這個參考教材包括的面很廣，如小產、不孕、同性戀愛、避孕、性傳染病、和強奸。每一組均有簡短的解釋材料，主要部份是個人、機關、團體的地址和電話，以便求醫。是各類圖書館及有關團體的有用參考資料。

10. 藥物參考

53. *Drugs handbook 1989-1990*/ Ed. by Paul Turner & Glyn N. Volans.- 9th rev. ed.- London & Basingstoks, The Macmillan Press, Ltd., 1989.
xv, 183p.
ISBN 0-333-46753-1

藥物手冊 1989～1990 （第9版）

收集上年新產品，多數藥品至少列出三個名稱：化學名稱，普通的或批准的名稱，第三是商標名稱或商業名稱。

54. *Physician's... drug handbook.- 1989*.- Springhouse, PA: Springhouse Corp., c1989.- v. annual

醫師藥物手冊 （1989年版）

把普通藥物的當代信息列出清單，企圖"使每一種藥物在現代臨床使用上發揮其效力。"所有的條目，指明其藥效學、藥物動力學、逆反作用及其特殊的考慮。綜合附錄包括孤兒藥物(orphan drug)和生物製劑。

劑量，逆反應等。很多附錄，包括目前藥物的級別。

55. *Nursing... Drug Handbook, 1981*.- Horsham, Pa.: Intermed Communications, c1981.
v.

護士……藥物手册

專供護士使用，着重藥物的臨床知識，少談藥理學。分章節編排，注明適應症、劑量、護士應思考的問題。有＊號的牌名在美國及加拿大可以買到。附索引。

11. 醫師手册

56. *Doctor's computer handbook*/ Peter J Fell et al.- London: Life time learning Pub., 1984.
268p.: ill.
ISBN 0-534-02724-5

醫師電腦手册

這本書爲了醫師個人使用計算機或者是集體使用計算機都是比較重要的。而且它能使醫師了解到，計算機是怎樣改變醫學實踐的。

57. *Physician's handbook*/ 21st ed. Marcus A. Krupp, editor.- Los Altos, Lange, 1985.

醫師手册（第 21 版）

58. *Projections of Physician supply in the U.S.*- Rockville, Md.: U.S. Dept. of Health & Human Services, Public Health Service. Health Resources and Services Administration, Bureau of Health Professions, Office of Data Analysis and Management, 1985.
x, 39p.

美國提供醫師規劃手册

附表說明 1990 ～ 2000 年美國培育醫師的規劃，還包括規劃中對方法論和設想的探討。附表包括專家及地區分佈的情況。

12. 營　養

59. *Modern nutrition in health and disease*/ 7th ed.- RS Goodhart & ME Shils, editors.- Philadelphia: Lea & Febiger, 1988.

現代衞生與疾病營養學 （第7版）

第7版 1980 年出版。序言中說：“本書可作爲當代營養學的教科書和醫學、衞生學、營養學、牙科醫生的必備參考書。”

13. 中　毒

60. *Handbook of poisoning: diagnosis and treatment*/ 12th ed. RH Dreisbach, editor.- Los Altos, Calif.: Lange, 1987. $16.50
ISBN 0-87041-076-8

中毒手册：診斷與治療 （第12版）

61. *Handbook of emergency toxicology*; a guide for the identification, diagnosis and treatment of poisoning/ 4th ed. S. Kaye, editor.- Springfield, Ill.: Thomas, 1988.
576p.
ISBN 0-398-03960-7

急救毒物學手册 （第5版）

第4版 1980 年出版。新版全部增訂並包括新技術。

五、醫學指南

指南的內容性質與手册極相類似，也是各科業務所需要的參考工具書。它的資料新鮮但易過時，就目前資料所及，特將近 3 ～ 5 年的指南分一般與專題兩類編列於次：

(一) 一般指南

62. *Canadian Medical Association*. CMA Directory.- Ottawa, Ont.: Canadian Medical Association, 1985.

加拿大醫學會指南

1985 年秋季出版，這是一本加拿大醫學組織學會指南。詳註名稱、地址、委員會、理事會、學會聯繫人、醫學校的院長、地方註册人，有上議院或下議院銜的醫生等的電話號碼；並附出版物一覽。

63. *Directory of Canadian Scientific and Technical Databases*/ Canada Institute for Scientific and Technical Information = Répertoire des bases de données scientifiques et techniques au Canada/ Institut canadien de l'information scientifique et technique.- Ottawa: National Research Council

Canada, 1984.

91, 5, 5p.

加拿大科學、技術數據庫指南

編有 119 條由加拿大生產，持有和保持的目錄學的或科學的機讀收藏。而且還包括在加拿大可以提供。

64. *U.S. Medical directory*/ 7th ed.- Miami, Florida: U.S. Directory Service, c1986.

922p.

ISBN 0-916524-24-8

美國醫學指南

編輯單位係私人組織而資料來源可靠。分 5 章：醫學博士、醫院、護理工具、實驗室、醫學情報來源。

65. *European research centres;a directory of scientific, technological, agricultural, and biomedical laboratories*.- 8th ed.- Harlow, Essex, Longman, 1990.

2v.

ISBN 0-582-06124-5

歐洲科研中心指南（第 8 版）**1990**

這個科研中心指南包括科學的、技術的、農業的，和生物醫學等實驗室。範圍東、西歐30個國家的科研技術單位，蘇聯不在其內。按國名字順編排，v.1，23國（東、西德已統一）；v.2：7國。附：單位名稱索引及主題索引。

66. *Medical research centres: a world directory of organization & programmos*.- 8th ed.- Burnt Mill, Harlow, UK: Longman; Detroit, MI, U.S.A.: Distributed exclusively in the USA, its possession, and Canada by Gale Research Co., 1988.-
2v. (vii, 1013p.)

醫學研究中心（第8版）

"綜合參考情報，提供了工業中心，官方實驗室和重點大學或專業學院實驗室等的簡況，導致醫學專業研究工作的深入，例如：解剖學、臨牀醫學、牙科學、瘤形成，外科學及痳醉學等深入到生物醫學範疇，諸如：免疫學、移植學、藥理學和治療，從而再深入到生物化學，如：分子生物學、微生物學、遺傳學和生物物理學等。"包括110個國家，按國名字順編排項目，逐條注明地址、產品、關係和研究人員的學位數目。創建的課題和主題索引。

67. *Health sciences information in Canada. Association*/ Health Sciences Resource Centre, Canada Institute for Scientific and Technical Information = Informa-

tion en sciences de la santé au Canada. Associations/ Centre bibliographique des sciences de la santé, Institut canadien de l'information scientifique et technique.- Ottawa: National Research Council Canada, 1984.
v.

加拿大醫學情報學會指南

係用英、法兩國文字編寫。與《加拿大醫學情報圖書館》爲姊妹篇。加拿大凡屬身體與感情健康有關的組織都包括在內。按省市地區或民族字順編排。每一條詳註聯繫人、建立日期、目的、成員資格及出版物。附機物、主題詞及出版物索引。

68. *Directory of research grants 1990*.- Phoenix,Arizona, The Oryx Press, c1990.-
xii, 1099p.
ISBN 0-89774-493-4

研究補助申請指南 （第15年度版）

1990年是本指南第15年度版。它的方案涉及到醫學、物理、社會科學、人類學、藝術等。開題申請數據庫是以每月情報爲基礎，使訊息不斷更新，規劃不斷增添、註銷，和修訂。開題申請人使用本指南時，最好通過 DIALOG 情報中心聯機檢索核對情報增遞的情況。

69. *Directory of international and national medical & selected societies*.- 2nd. Completely rev.- Rehovot, Israel: PBZ Informatics; Pergamon Press, c1990.
vii 340p. Includes index.

國際、美國醫學及其類似學會指南

"涉及人類和動物的精神和肉體健康的學會(也包括獸醫學會)。情報資料是從世界花園送到學會的調查表而派生出來的。按國名字順編排。每一款目都冠以順序號,名稱用英文或原名,合同人地址、電話及電報號碼、主題編號、會員人數、會議、出版刊物及會議地方。附綜合索引。

70. *International directory of contract laboratories*/ Compiled by Edward M. Jackson.- 2nd ed.- New York: Dekker, c1989.- ix, 171p.: ill. "The contents of the volume were originally published as Journal of toxicology-cutaneous & ocular toxicology, v.7, nos. 1 & 2, 1988".- T.p. verso. Includes indexes.

合同實驗室國際指南

毒物學實驗室的目錄標明化學品、食品、處方藥物、非處方藥物、化裝品及家庭產品。按實驗室名稱字順編排,每一個條目注明:地址、電話、創辦年代及實驗項目。並附地區目錄、綜合索引。

71. *Medical and health information directory*/ Ed by Karen Backus & Anthony T. Kruzas,consulting editor.- 4th ed.- Michigan, Gale Research Co., c1988.
3v. ISBN 0-8103-2519-5 (set)
v.1: Organizations, agencies and institutions.1140p.
ISBN 0-8103-2520-9 (v.1)

醫學衛生資訊指南（第4版）

全書共三卷收編了40,000 多協會，社團、公司、機關、研究中心、醫院、診所、治療中心、教育綱領、出版物、錄音帶、資料庫、圖書館、臨牀醫療諮詢服務、基礎生物醫學科學、醫療技術和社會經濟方面的問題等。第一卷局限於美國醫學衛生機構。卷末附編新的主要名稱及關鍵詞索引。

72. *Medical information sources: a referral directory*/ Arthur W. Hafmer, editor.- 6th ed.- Chicago, Ill.: American Medical Association, Division of Library & Information Management, 1989.- 94 leaves

醫學諮詢指南

把已經印刷的和接觸到的情報訊息編成字順主題目錄向讀者提供。專爲美國醫學會、圖書情報諮詢部的工作人員解答諮詢之用。而且對其他圖書館和研究機關也有同樣的作用。條目中含機關名稱、地址、電話號碼和出版信息。星號表示屬美國醫學會。

73. *Medical Group Management Association. The ... international directory*.- 1984- 85.- Denver, Colo: Medical Group Management Association, 1985.
v.

醫學團體管理學會、國際指南

1976～1977年創刊，封皮書名:MGMA directory 過去書名：International directory of the Medical Group Management Association是一本會員資格與組織指南。每一項目註明鑒定的號碼和叙述情況。附單位及個人姓名索引。

74. *Medical Group Management Association. MGMA directory*/ Medical Group Management Asson.- Association.- 1985- 86.- Denver, Colo.: The Association c1985.-

又叫做： *Medical Group Management Association Directory. International Directory* **同上名。**

75. *The Medical Research Directory*.- New York: Wiley, c1983.
liv, 730p.

英國醫學研究指南

在當代英國大學、綜合性工藝學校、學院、國家實驗室、醫院等地方（商業性除外）的醫學與護理研究。此書按45個主題詞編排。每一條註明單位、地址、負責人、研究員姓名和研究課題。附人名及主題詞索引。

76. *MInd, the meetings index. Series SEMT, Science, engineering, medicine, technology*.- Harrison N.Y.: InterDok Corp., c1984.
v.

全世界科學、工程、醫學、技術會議索引

把全世界即將召開的各科會議編寫成册，打標供給專家和圖書館。用關鍵詞編排，每條註明地點、日期、單位、主辦人、情況聯絡及文件分發，文件分發截止期。附主辦人、地點、日期及聯絡人索引。

77. *U.S. Medicine convention calendar*.- Washington DC: U.S. Medicine Inc., c1984-
v.

美國醫學會議日曆

它提供會議清單、集會、進程，其它聯邦醫生感興趣的事。按時序編排，每一條註明日期、主題、地點、主辦人、聯繫地址等。集會在美國以外舉行用紅色標記。

78. *World directory of collections of cultures of microorganisms*.- 2nd ed./ edited by Vicki F. McGowan and V.B.D. Skerman.- Brisbane, Qld.: World Data Center, University of Queensland, c1982.
xxxi, 641p.

微生物培養庫世界指南（第2版）

導言用英、法、德、西、俄、日六國文字編寫。描述52國的566個微生物培養庫。按號碼編排佐以地區索引，又分一般及特種微生物，再分主要的庫和從人名查找的索引。每一條註明：首字母縮略詞、地址、主辦人、主任、掌管人、主要功能、分庫、培養什麼、能供應的培養物、目錄等。

79. *International medical guide for ships; including the ship's medicine chest*.- 2nd ed.- Geneva, World Health Organization, 1988.
viii, 368p.: ill.-

國際船舶醫學指南（第2版）**1988**

世界衞生組織是聯合國管理國際衞生事業和聯合國的公共衞生事業的權威機構。20年過去了，《國際船舶醫學指南》第二版出書是符合當前迫切的需要。由於現代婦女也參加海事工作，新版增添了妊娠與婦女醫療問題一章，而將國際信號法規一章撤銷了。新版增添很多圖表，以利不熟悉醫務的工作人員也能使用。

㈡ 專題指南

上面所列是一般指南，現在列舉的是專題指南，按專題名稱漢語拼音為序，以利檢索。

1. 癌

80. *International directory of specialized cancer research and treatment establishments*.- 3rd ed.- Geneva: Published under the auspices of the Committee on International collabora-Activities, International Union Against Cancer, 1982.
xvi, 727p. (UICC technical report series; v.66)

專攻癌研究及治療組織國際指南（第3版）

是一個世界性綜合癌中心組織名單，包括癌研究機構，大學部門或生物醫學研究中心、癌醫院、或其他醫院附設多種癌症部門或單位。數據的搜集都是通過調查，指南是綜合性的。按國家地區排列。每一條註明：統計，活動的領域，個人。附組織，主任及部門負責人索引。

2. 按脊術

81. *American Chiropractic Association. Membership directory*/ American Chiropractic Association. 1983 Arlington, Va.: The Association, 1983.
v.

美國按脊術學會會員指南

這是當代美國按脊術學會會員指南。第一部份用會員名稱字順附地址。第二部份是按地區或國外地區編排。也包括執行委員會、專業工作人員、省代表、按脊學院及會員等。

3. 變態反應與免疫學

82. *American Academy of Allergy and Immunology. Membership directory*/ the American Academy of Allergy and Immunology.- Milwaukee, Wis.: The Academy, 1983.
v.

美國變態反應與免疫學學院會員指南

是美國變態反應學院會員指南的續篇。會員資格和機構情況還有專業與住處實際情況。字順篇排，每一條注明教育和專業情報。附地區名單。

4. 保健醫療

83. *American Hospital Association Guide to the Health Care Field*/ 1984 ed.- Chicago: American Hospital Association, 1984.
$52.50 (Published annually)

美國醫院協會保健醫療指南（1984年版）

這是一本年刊。

5. 毒物學

84. *Directory of toxicology testing institutions in the United States*.- 1st ed. (1983)- Houston, Tex.: Texas Research Institute, c1983.
v.

美國毒物學檢驗所指南（第1版）

由美國毒物學學會協助發行。是一個檢驗毒性，安全估價的實驗室或研究所指南，在試管內，有機體內，環境效果以及化學因果檢驗。資料來源於調查。每條款目註明：地址，檢驗資料，附加資料。很多附表。還有團體名稱索引。

85. *Rudoff, Carol. Asthma resources directory*/ by Carol Rudoff; reviewed by Joann Blessing-Moore.-- Menlo

Park, CA: Allergy Publications, 1990.- x, 308p.
Includes index. Includes bibliographical references (p. 253-274)

哮喘病情報指南

"本書將700多單位，出版商，和機構列成2,586種表格，並伴以有教導的論著和情報資料論文使你能正確判斷這些表格。"按組排列：哮喘的觸發、病員的護養、醫院護理和情報來源。包括產品、組織、出版物、病員救護及程序。附若干附錄。編有索引。

6. 兒童健康

86. *A National list of voluntary organizations in maternal and child health*.- Washington, D.C.: National Center for Education in Maternal and Child Health, 1985.
i, 64p.

美國母性與兒童健康義務組織官方指南

這是官方義務機構，按情況名稱字順編排。每一條詳注電話號碼、地址、聯繫人。還包括互助組織名單；房屋清潔自助組；以及加拿大、歐洲、澳大利亞、南非的義務組織。附機構索引。

7. 法醫學

87. *Forensic services directory*.- Princeton, N.J.: National Forensic Center, 1983.
v.

法醫服務指南

專家的標準情報工作幫助律師訴訟之用。提供的資料適於律師與專家的聯繫。按大項分類編排，如：生命科學、醫學與健康，和社會科學。每一項目註明：地址、電話號碼、特性、民主人士、學銜及執照。附主題詞索引及字順姓名及地理索引。

8. 職業醫學

88. *Industrial hygiene: a guide to technical information sources*/ Mary Ellen Tucker.- Akron, OH: American Industrial Hygiene Association, c1984.
ix, 214p.

工業衛生指南

全書共十二章分述：基礎科學參考，一般計算機情報服務，特種領域的資料和文獻，例如：人類工程學、工業通風及工業衛生教育等。有多款目附提要。編有題目及主題詞索引。

9. 護　理

89. *The AJN guide*.- New York, N.Y.: American Journal of Nursing Co., c1982.
v.

美國護理雜誌指南

用字順編排，敍述美國各州立醫院對護士專業提供良機。還包括導論材料，州立護士委員會名單，法規和組織。款目中包括設備，專業風氣，好處和其他特色的描述資料。

90. *Special projects for improvement in nurse training*: a listing June 1978 to September 1983.- Rockville, Md.: U.S. Dept. of Health and Human Service, Health Resources and Services Administration, Bureau of Health Professions, Division of Nursing, 1984.
53p.

美國改進護士培訓的特別方案指南

該方案經衞生專業局護士處同意。按字順編排，每一條註明批准號碼、規劃時期、範疇電碼、研究所及地址，規劃及簡短的描述。無索引。

91. *Nursing drug reference: a practition's guide*.-

Bowie: Brady Communications Co., 1985.

護理藥物參考指南

這本書不僅僅是爲了護士在實踐中的參考也適用於助產士、心理衞生的醫師和臨床工作人員。全書分十個大類編排：㈠抗感染，㈡生物標本，㈢心血管與利尿藥物，㈣中樞神經系統藥物，㈤胃腸疾病藥物，㈥血液和營養製劑，㈦激素，㈧呼吸道藥物，㈨局部的製劑，㈩尿道等物。附書目附錄及索引。

10. 電腦

92. *Directory of medical computer systems/ Computer Talk*.- 1985- Blue Bell, PA: Computer Talk Associates, c1985.
v.

醫學電腦系統指南·電腦對話

封皮書名爲:"Computer talk directory of medical computer systems." 編有字順賣主利益淸單。每一條目爲賣主提供描述的信息。包括賣主的地址和電話號碼，也有別的賣主。

11. 計畫生育

93. *Family planning grantees, delegates & clinics*.- 1983- Washington, DC: U.S. Dept. of Health and Human Services, Public Health Service, Office of the Assistant Secretary for Health, Office of Population Affairs, 1983.
v.

計畫生育被授與者，代表及診所指南

續："Family planning grantees & clinics." 本指南的目的在於促進人口事業局所屬的計劃生育診所的信息交流。按被授與者，代表及診所狀況的地區字順編排。每一條目註明地址、電話號碼、各種情況。

12. 濟貧院

94. *Directory of hospices*.- Des Moines, IA: HRS Geriatric Pub., 1982?
vii, 38p.

美國濟貧院指南

包括美國濟貧院組織的史略。按濟貧院綱領情況地區一覽編製。每一條目註明：附屬機構、聯繫人、服務項目、許可證的發放及會員資格範疇。

13. 健　康

95. *Health industry buyers guide:* HIBG.- 44th ed (1983-1984)- Union, N.J.: Cassak Publications, c1983.
v.

健康工業進貨員指南（第44版）

續："Surgical trade buyer's guide". 它是一本醫院設備、衞生新產品和衞生專業產品的目錄。主要部份按商品名稱字順編排，附生產廠名及供應人名稱及地址。還有關於製造廠商；國際市場、衞生、州立學會；氧療法、X-線、實驗室、矯形外科學的器具，貿易和商標名稱。

96. *Food service equipment directory for health care facilities*/ prepared by JF Sheridan, LA Ruof.- Columbus, Ohio: Ross Planning Associates, Ross Laboratories, c1982.
68p.

保健醫療食品服務設備指南

指南詳列對生命有益的食品服務設備，附製造廠名稱及地址。有設備名稱索引。

97. *Directory of biomedical and health care grants.* Phoenix, Ariz.: Oryx Press, 1985.
275p.

生物醫學與保健醫療批准指南

包括1,358種保健醫療方案。按方案字順編排。每一條方案都注明需要的情況、同意書、資金合計，主持人情況等，有多種索引。

98. *Directory of health services research in India.* vol. 1- New Delhi: National Medical Library, Directorate General of Health Services, Ministry of Health and Family Welfare, Government of India, 1984-
v.

印度衛生事業研究指南

這是最近完成的印度在行進中的研究方案。分類及主題編排。每一條目注明方案的題目，目的、方法論、調查者、及結果，有研究機構，調查者及主題詞索引。

99. *1983 guide to health information resources in print: the health professional's source for free & low-cost materials*/ Christine S. Kradjian, editor-in-chief.- Daly City, Calif.: PAS Pub., c1983.

432p.: ill. (Health information library)

1983 年在版衛生情報資料指南

爲提供衛生人員及病員專業教育之用。有 3,000 條目分 150 個範疇，比如：癌、糖尿病和壓力。包括保健醫療學會公司出版的資料、聯邦政府機構及其他單位。無索引。

100. *Inventory of U.S. health care data bases, 1976-1983*/ Prepared by Ross M. Mullner, CS Byre.- Bethesda, Md.: U.S. Dept. of Health and Human Services, Public Health Service, Health Resources and Services Administration, Bureau of Health Professions, Office of Data Analysis and Management, 1985.
iv, 147p.- (DHHS publication; no. (HRSA) HRSP-OD 84-5)

美國保健醫療數據庫財產目錄指南

包括全美公私機構 1976 年 1 月 1 日到 1983 年 12 月 31 日國家標準的保健醫療工作非目錄性的機讀數據庫的播員資料。按主持人與課題字順編排，每條註明目的和範圍，主題詞、輸入來源、全人類、頻率、那一年的磁帶可以供應、價目、聯繫人、出版物及其他。附各種各樣的索引。

101. *The Learning resources directory for healthcare executives*: LRD/ Foundation of the American College of Hospital Administrators.- Chicago, IL: The Foundation, c1984- .
Vol. 1 (1984-85)

保健醫療工作執行者學習資料指南

該書係活頁每年三次更新。學習資料包括圖書、論文、視聽資料。適於保健醫療執行人使用。主題編排分目錄資料、文稿、方式、聽衆和評價。有各種各樣的附表及各種各樣的索引。

102. *Mental health systems software directory*: private-for-profit applications/ AAMSI.- 1985 ed.- Washington, D.C.: American Association for Medical Systems and Informatics (AAMSI), c1985.
v.

心理衛生系統軟體指南

範圍廣的指南適於心理學軟體資料。每條目包括節目系統、適用範圍、描述、賣主、硬體，硬體制度，附索引。

103. *Resource guide to health promotion*.- Lutherville, Md.: Maryland Hospital Education Institute with assistance from Blue Cross and Blue Shield of Mary-

land, c1982.

2v.: ill

促進健康事業來源指南

第1卷：醫療節目的基本概念；第2卷：促進健康節目及資料來源指南。是健康機構、政府機關、醫院，Maryland 地方的節目及 Maryland 地方的交通機構指南。每一條目都註明聯繫、節目及雇員情況。

104. *Software in health care ... directory*.- 1985- El Segundo, CA: Softek Pub., 1985.
v.

保健醫療事業的軟體指南

全書分賣主詳細情況清册和主題與設備。另一部是詳細清單每條註明：地址、電話號碼、聯繫人、申請書、硬體操作制度、原始語言、設備、服務地區、設備號碼及描述資料。附地區公司索引。

105. *Health care standards; official directory*.- *1990*.- Plymouth Meeting, PA: ECRI, c1989.- v. Running title: Health care standards directory. Annual

衞生醫療工作官方標準指南

這是一本由醫學會、專業協會、政府機構和其他衛生組織製定的標準衛生醫療工作綜合指南。採用關鍵詞、略語、單位名稱、標準、法律、法規、條例（國家及聯邦）以及單位名稱、地址（國家及聯邦）等編排的。

14. 老年人病學

106. *Geriatrics, pregeriatrics rehabilitation*.- Vol. 1, no. 1- Nordrach, W. Germany: B. Fisher and S. Lehrl in cooperation with Falk Foundation e.V., 1985-

老年人病學前期、老年人病學及健康指南

是一本首次多種語文有關老年人病學的圖書與論文目錄。所附文稿分英、法、德三種文字。包括即將召開的國際會議指南。編有即將召開的國際會議議程清册，新書，如病員的報紙，及雜誌論文附摘要。分類編排。分類表即是索引。

107. *How and where to research and find information about aging in America*/ By Robert D. Reed. Saratoga, Calif.: R & E Publishers, c1983
v. 42p.

在美國怎樣研究和到何處去找尋衰老的資料

這裏搜集了：一般參考資料、雜誌、學會、圖書館、研究中心、指南和目錄。每一條目註明：姓名、地址、簡略的介紹。無索引。

108. *Self-care and self-help groups for the elderly: a directory*/ Prepared by National Institute on Aging.- Bethesda, Md.: U.S. Dept. of Health and Human Services, Public Health Service, National Institutes of Health Washington, D.C. 1984.
128p.

老年人自顧、自助組指南

大約有90個國家對老人實行自助的辦法已經廣泛的開展起來。按機構名稱字順編排。每一條目注明機構名稱、地址、電話號碼、會員資格、叙述、期刊、及其他出版物。有索引。

15. 臨床化學

109. *American Association for Clinical Chemistry. Membership directory*/ American Association for Clinical Chemistry.- Washington, D.C.: The Association, 1984.
v.

美國臨床化學會會員指南

根據 1983 年材料編寫。關於會員及機構情況。每一條目註明地址、電話號碼、第一年的會員資格、會員種類（名譽、榮譽教授、正式會員、學生）。還包括製造廠，經理人以及臨床實驗室服務工作。

16. 聾啞人

110. *International directory of services for the deaf*/ SL Mathis III, editor.- Washington, D.C.: International Center on Deafness, Gallaudet College, c1980.
231p.

國際聾啞者服務指南

關於學校、機構、教師培訓中心、社會服務機構職業康復機構、聾啞人劇院、國家出版物等綜合一覽。美國及加拿大除外，學校條目包括學校名稱、地址、學校類別、學生名額、級別與使用的語言。

111. *International telephone directory of the deaf*.- Silver Spring, Md.: Telecommunications for the Deaf, Inc., 1986.
v.

聾啞人國際電話指南

根據 1985 年材料編寫。美國及其他國家地區電話號碼一覽。在國名下，號碼按類編排，如：住宅、商店、專業、宗教、緊急情況、政府、行業、康復、學校和學院。

112. *International telephone directory of TDD users.*- Silver Spring, Md.: Telecommunications Devices for the Deaf, Inc., c1986.
v.

聾啞人電信交通設備使用者國際電話指南

主要包括美國及其他幾個國家地區電話號碼一覽。在國名下號碼按類別編排，如：住宅、商店、宗教、緊急情況、政府、醫療服務、圖書館、及學校和學院。

17. 免疫

113. *American Academy of Allergy and Immunology. Membership directory*/ The American Academy of Allergy and Immunology.- Milwaukee, Wis.: The Academy, 1983.
v.

本書提要請見變態反應 90 。

18. 內科學

114. *Directory of training programs in internal medicine: residency and subspecialty fellowships, 1982-1983*/ Prepared by National Study of Internal Medicine Manpower, the University of Chicago.- Chicago, Ill.: National Study of Internal Medicine Manpower,

1983.
163p.

內科學培訓計畫指南

醫學專業畢業後的高級訓練階段的名單是按各州地區編排；附屬專業名單按主題及地區排。每一條目註明部門、研究院及地址。

19. 全體論

115. *Association for Holistic Health (U.S.). The National directory of holistic health professionals*/ Compiled by the staff of the Association for Holistic Health.- 1st v. San Diego, Calif.: The Association, c1983.
v.

美國全體論的健康學會指南

包括機構及會員情況。傳記條目中註明職務；執照、教育、經驗；工作概況。條目中也包括中心。有物理療法索引、物理療法專業人名單，和各州專業人名單。

20. 妊 娠

116. *Drugs in pregnancy and lactation: a reference guide*

to fetal and neonatal risk/ G.G. Briggs.- Baltimore, Williams & Wilkins, c1983.
xix, 415p.

妊娠與哺乳期用藥指南

對妊娠與哺乳期的藥物，按審品名稱字順編排。專供從事保健及特別護理人員之用。按類分條，把危險的要素譯成電碼、扼要的胎兒危像、扼要的人乳哺養，以及分類的藥物參考附錄。

21. 生物技術

117. *The International biotechnology directory 1990*/ 6th ed.- Ed. by J. Coombs & Y.R. Alston.- New York, N.Y., Stockton Press, c1989.
xix, 608p.
ISBN 0-333-49782-1

生物工藝學國際指南 1990（第 6 版）

第 6 版國際指南將繼續報導生物工藝學新近動態。第三部份收編了 700 多新條目，全書共計 4,000 新穎條目，註銷了85家公司。再一次應用了計算機數據庫，我們希望繼續在質量和數量上有所改進。

118. *Biotechnology guide Japan 1990-1991*/ Tr. by Japan-America Management.- New York; London; Tokyo;

Melbourne; Hong Kong, Stockton Press, 1990.
xv, 591p.
ISBN 0-333-51805-5

日本生物工藝指南 1990～1991

這是一本由日美友協翻譯的指南，介紹日本生物工藝公司並作綜合分析。認爲生物工藝是由西東漸的，目前在美國生物工藝經常用於商業製品的發展上，取代分子生物學。現在日本也有了生物工藝。醫用藥物、診斷劑，好的化學藥品、殺蟲劑、食品等，成功的生物工藝產品的時代到來了。它把日本生物工藝的情況介紹給世界各國。

119. *Directory of British biotechnology* 1989/90. London, Longman, c1989.
vii, 167p.
ISBN 0-582-03605-4

全英生物工藝學指南 1989～1990

介紹全英生物工藝的公司、組織、研究機關等。按字順編排，著錄全名、地址、電話、直通電報號碼、傳眞號碼、所有權、生物工藝概述、培養畢業人數等。

120. *Biotechnology guide U.S.A.; Companies, data & analysis*/ Ed by Mark D. Dibner.- N.Y., Stockton Press, 1988.
xi, 378p.
ISBN 0-333-48551-3

美國生物工藝指南

美國生物工藝呈騰飛之勢，新工業之興起，在在需要，查找這方面的情報資料。本指南編有：公司名單，也有生物工藝情報規劃和生物工藝中心情況。

121. *State by state biotechnology directory; centers, companies, and contacts*/ Prepared by the Biotechnology Information Division of North Carolina Biotechnology Center.- Wash. D.C., Bureau of National Affairs, c1990.
xiv, 163p.

美國州際生物技術指南

把有關生物技術的州、條例、中心、公司按照地區編排。著錄項目採用恰當的和描述的情報。附公司名稱索引。

22. 生物醫學

122. *Biomedical research technology resources*/ Prepared

by Research Resources Information Center.- 6th rev. ed.- Bethesda, Md: U.S. Dept. of Health and Human Services, Public Health Service, National Institute of Health, 1985.

v.

生物醫學研究技術資源指南

續 "Biotechnology resources" 。資源指南是爲國民生物醫學集體提供新的技術和方法。按資源服務範疇編排，例如：生物化學材料資源，生物醫學工程資源，生物結構與功能資源，計算機資源。每一條目註明資源題錄、主要研究人、公開服務項目，及研究重點或申請。地區索引。

23. 獸醫學

123. *Directory of veterinary medical and related libraries*.- Ithaca, NY: New York State College of Veterinary Medicine, Cornell University, and Veterinary Medical Libraries Section/ Medical Library Association, 1985.

v.

獸醫學及有關圖書館指南

續："Directory of veterinary medical school

libraries and librarians" 。爲了促進獸醫及其他圖書館員之交流。共分 3 部：醫學圖書館辦的獸醫圖書館組，獸醫及有關圖書館及人事問題。每一條目註明地址、電話號碼及圖書館館員，包括人事名單。

24. 聽力學

124. *Guide to graduate education in speech-language pathology and audiology*.- 1980.- Rockville, Md.: American Speech-Language-Hearing Association, 1981. v.

談話語言病理學與聽力學畢業教育指南

這書指南是爲了向說話語言病理學與聽力學的優秀畢業生選擇適當的畢業方案之用。包括美國和加拿大 240 機構。根據美國說聽語言協會教育培訓處的決定，分信任與不信任兩組。

25. 惡性腫瘤

125. *TNM-atlas: illustrated guide to the TNM/ PINM-classification of malignant tumours/* 2nd ed. B. Spiessl et al.editor.- Berlin: Springer, 1985.
269p.: ill.-
ISBN 0-387-13443-3

TNM圖譜：惡性腫瘤分類指南

聯合國衛生組織於1938年出版"Atlas illustrating the Division of Cancer of the Uterine Cervix into four stages (J. Heyman ed.)。1954 年世界組織承認惡性腫瘤的 28 種分類。1978 年出版了 TNM Booklet, ed. by M. Harmer (TNM classification of malignant tumours, 1978)。這本 TNM 圖譜是第三協助使惡性腫瘤在臨床分類上與組織學分類上能得到一個常規的程序。

26. 心理學

126. *International directory of psychologists, exclusive of the U.S.A.: a* publication of the international Union of Psychological Science/ editor, Kurt Pawlik.- 4th ed. Amsterdam, Elsevier Science Pub. Co., 1985.
vii, 1181p.

國際心理學家（美國除外）指南

包括全世界（美國除外）51個國家的32,000個心理學家。它還包括凡屬各國心理學會的成員，聯合國教育及科學文化組織的來源、機構和聯繫人等。按國名再按地區編排。每一條目註明姓名、教育、履歷資料和專長。包括略語清單。在傳略前，每一個國家均附導言說明該國心理學情況及其發展。

27. 牙　科

127. *Directory of allied dental educators*.- Washington, D.C.: American Association of Dental Schools, 1985? v.

類似牙科教育者指南

根據 1983 ～ 84 學年資料編寫。按州的地理順序編排。每一條目註明號碼、地址聯繫人，也附有傳略資料：早期訓練、身份、學銜、學位、持有那一種醫科教育者的執照。附表。

128. *Keyguide to information sources in dentistry*/ MA Clennett.- London: Mansell, 1985.
ix, 187p. Ill.

牙科學資料來源關鍵指南

一般和特種資料來源。分部門編，如：牙科文獻調查、目錄、機關指南。牙科圖書館最近一覽。牙科學會和協會，學校和大學部門及牙科出版商等。有索引。

129. *National Institute of Dental Research Indexes*. Bethesda, Md.: Research Data and Management Information Section, National Institute of Dental Re-

search, National Institutes of Health, 1985.
v.

美國國立牙科研究所索引指南

根據 1984 會計年度資料編寫。包括校內和校外的計劃。關於計劃號碼、主題、調查人及實驗室等資料。

130. *Selected list of technical report in dentistry.* Bethesda, Md.: Research Data and Management Information Section, National Institutes of Health, 1985.
37, 66p.

牙科學技術報告選目

包括時間為 1981 年 10 月 1 日至 1984 年 12 月 31 日。根據 NTIS 登記號編排。每條附目錄資料，有索引。

28. 醫　院

131. *Consumers guide to Maryland hospitals.*- 2nd ed.- Baltimore, Md.: Health Services Cost Review Commission, 1984.
48p.

Maryland 醫院用戶指南

按縣排、每一條註明醫院、病號、平均住院期、平均支付。用戶可以根據健康情況安排住院。

29. 遺　傳

132. *American Society of Human Genetics. Joint membership directory*/ American Society of Human Genetics; Genetics Society of America. Rockville, Md.: The Societies, 1983.
v.

美國人類遺傳學會、聯合會員指南

包括美國人類遺傳學會及美國遺傳學會的資料。也包括美國以外的會員按字順及地理編排。

133. *Directory of genetic engineering & biotechnology firms, U.S.A.*- 1982/1983 ed. Kingston, N.J.: Sittig and Noyes, c1982
2v.

遺傳工程及生物技術公司指南

根據 1982 ～ 1983 情況編寫的。包括研究實驗室、生產計劃、投資人、主要投資人、建築公司、以及遺傳工程與生物技術的財政困難。按公司名稱字順編排。每一條目註明描述情況如：地址、電話號碼、產品、活動範圍、及收入來源。

134. *Genetic engineering and biotechnology firms worldwide directory*.- 1983/1984.- Kingston, N.J.: Sittig and Noyes, c1983.
v.

遺傳工程及生物技術公司世界範圍的指南

續："Directory of genetic engineering & biotechnology firms U. S. A." 是美國及國外公司指南。按行名字順編排。每條目註明：地址、電話號碼、及活動情況的描述。

135. *Genetic engineering/ biotechnology sourcebook*/ Robert G. Pergolizzi, consulting editor.- Washington, D.C.: McGrew-Hill, 1982.
xviii, 314p.: ill.

遺傳工程／生物技術原始資料指南

此書係根據 Smithsonian 科學情報資料交換局(SSIE)的資料編寫而成。包括目錄參考及索引。這本原始資料的目的在於鑒定和描述 1,529 個公共部份的研究計劃。是爲科學家、R.D.實驗室經理、執行人員及企業家應用的。主要部份（即計劃的描述）按基金之新機關名稱字順排列。每一條目註明研究人員、研究題目、機構、目的、進度等。附各種各樣的索引。

六、醫學目錄與索引

醫學專題目錄與索引的編輯，數量也不算少。自從電腦數據庫的興起後，醫學專題目錄與索引，如雨後春筍，美不勝收。80 年代最凶殘的公害 AIDS （愛滋病）蔓延以後，1985 年就出現編輯同性戀愛的目錄，其專指性之强實爲專門研究人員之需要。醫學圖書館對專題目錄與索引之處理，目前尙無妥善的方法，使其發揮應有的效果。本章所編製的醫學目錄分一般與專題兩類，一則喚起醫學圖書館如何重視這類資料的管理，把它送到需要者手中。再則選編出來，以供讀者參考使用。這些資料可以通過國立北京圖書國際館際互借處辦理手續。

(一) 一般目錄

136. *AV Health: Current Publication of the United States Government*/ EG Londos, editor.- Metuchen, N.J.: Scarecrow, 1982.
218p. $17.50 pa
ISBN 0-8108-1571-0

醫學視聽資料：美國政府官書目錄

近20年來醫學視聽資料如雨後春筍。很多聯邦政府機構也出版了很多關於醫學衞生教育的視聽資料。Londos提要目錄是一本關於130種視聽資料目錄的傑出參考指南。這本書的著錄是描述各聯邦政府的官書：包括政府機關名稱、地址、出版物形態，包括哪些主題，視聽資料有何特色，書目的價格和其他訂閱的信息。這個目錄也包括視聽資料的款式，諸如：影片、錄音帶、幻燈片等。還有上千個視聽資料包括每種疾病如：癌症、高血壓；大規模的衞生問題如：酒精中毒的（濫用藥物）；社會衞生公害如：空氣汚染，衞生設備等等。目錄中的項目大多數免費贈送或只收五元美金。

137. *Chitty, Mary Glen. Federal information sources in health & medicine:* a selected and annotated bibliography/ Compiled by Mary Glen Chitty with the assistance of Natalie Schatz.- New York: Greenwood Press, 1988.- xii, 306p.- (Bibliographies & indexes in medical studies, ISSN 0896-6591: no. 1) Index.

衞生醫療聯邦情報資料選題提要目錄

分類目錄所列舉的資料和出版物，都是可以得到的。一些非連續性的條目，都是 1980 年以後出版的。大部份題錄都存庫的。提要目錄係按主題項目編排，如：衞生醫療、技術、精神健康、航空醫學等。附錄有停刊清册。主要單位、處、局等地址、索引。

138. *Bibliography of medical reviews*. Washington, D.C., National Library of Medicine.

醫學評論文獻目錄

應該祝賀醫務工作者能獲得這樣追踪而又及時的醫學評論文獻目錄。請參考現刋本及年度累積本的 Index Medicus （美國醫學索引）即可查到。

139. *Irregular serials and annuals: an international directory 1984*/ 9th ed.- N.Y., Bowker, 1983.
1683p. Index. $95.00
ISBN 0-8352-1663-2

不定期連續性出版物與年刊國際指南 （第9版）

這本書是Ulrich國際期刊指南的姊妹篇。本版提供了34,000種現存連續性出版物，也包括年刊或不定期刊物。有3,250條款目，22,000改名，1,066種停刊。按主題編排：附互見參照。覆蓋面共30個專業主題，15個計算機適用的主題詞。附國際組織名單及索引。

140. *Medical books & serials in print, 1983*: Index to literature in the Health sciences. N.Y., Bowker, 1983.
2v. $75.00   ISBN 0-8352-1617-9

醫學圖書及連續性出版物在版書目 1983

這是一本醫學圖書館館員很有用的參考工具書。包括 55,537 種專業論著書名，編有著者字順索引，及美國國會圖書館主題詞書名目錄，收集 10,715 種連續性出版物。

(二) 專題目錄

1. 愛滋病

141. *AIDS, 1981-1983: an annotated bibliography*/ by Rhoda Garoogian.- Brooklyn, N.Y.: CompuBibs, 1984. 92p.

1981～1983 愛滋病提要目錄

收集了 400 條有關圖書、報紙、期刊，還有科學與衞生雜誌中的非技術文獻。不包括臨床引文。按1981～1983 時期排列。各種各樣的機關、服務和通訊的附錄。

142. *Siegel, Randie. Selected bibliography on AIDS for health services research*/ [Compiled by Randie A. Siegel and Donnalae Castillo].- Rockville, MD: U.S. Dept. of Health & Human Services, Public Health Service, National Center of Health Service Research and Health Care Technology Assessment, 1988.- v, 102p.

愛滋病選題目錄

編者從1987年8月～1988年8月間出版的雜誌選擇了286種，把有關愛滋病的文獻編成選題目錄。絕大多數的文獻是符合保健事業之研究。同時也包括學術雜誌的專刊和醫學會刊物的引文。採用章末編排。註明編號的條目，附目錄情報和提要。

143. *AIDS bibliography, 1991*: a monthly listing of recent references to articles, books and audiovisual materials on Acquired Immuno deficiency Syndrome (AIDS), Annual subscription (1991).

144. *AIDS work place update*.- vol. 1, no. 1 (Aug. 1988).- Greenvale, N.Y.: Panel Publishers, c1988-
ISSN 0899-3688

以上兩種刊物可以保持愛滋病資料新穎及時。

145. *AIDS information resources directory*/ Senior editors, Trish A. Hallerom, Janet I. Pisaneschi.- 1st ed.- New York, NY: American Foundation for AIDS Research, 1988.
vi, 192p.

愛滋病情報資料指南

包括大約有 1,100 條關於愛滋病，與愛滋病有關疾病和人免疫缺陷病毒感染的教育情報材料。適於專業人員及其他對教育情報資料感興趣的人使用。有說明書、小册子、廣告函、圖書、政府報告、錄像帶、及其他材料作爲情報資料。按章節編排，編有各種索引如：標題、機構、社團、材料種類及非英語標題等。

146. *AIDS information source book*.- 1st ed. (1988)- Phoenix: Oryx Press, 1988.- v. Annual. Vol. for 1988 lacks enumeration.

愛滋病情報來源

"這是一本專供教育群衆了解愛滋病的情報來源。"按時序、組織和目錄排列。時序和目錄編有主題索引。附錄有統計表格及新產品。

2. 癌 症

147. *Ethics and cancer: an annotated bibliography*/ Gary B. Weiss et al.- Galveston, Tex.: University of Texas Medical Branch, 1984.
248p.

倫理學與癌

這是一本提要書目收集了 776 條參考資料從倫理的結局來對待癌症和研究。它從各種學科收集包括醫學、哲學、倫理學、法律、心理學、精神病學、社會工作和護理方面的專著和連續性出版物的文獻。按著者姓氏排列，包括倫理問題的大綱。有著者、主題及倫理位置的索引。

148. *NCI Grant supported literature index/* prepared by Research Analysis and Evaluation Branch, Division of Extramural Activities, National Cancer Institute.- Bethesda, Md.: The Institute, 1981.
v.

美國國立癌症研究所承認的文獻索引

收集了美國國立癌症研究所同意的學術論文 632 篇。這些文獻發表在大約 300 種主要醫學和科學雜誌中。按器官編排。每一條註明名稱、研究機構、同意號碼、還有目錄資料。採用題內關鍵詞法編索引及著者索引。

3. 按脊術

149. *Chiropractic research archives collection: CRAC-* vol. 1, 1984-
v. (Annual)

按脊術研究文獻集

關於按脊術的綜合性總結及其有關文獻和思維。採用醫學主題詞表。按摘要編排附主題及著者索引。包括 Index Medicus 附加的雜誌清單和專題論著索引。

4. 保健醫療

150. *Medical sociology: an annotated bibliography*, 1972-1982/ JG Bruhn et al.- N.Y.: Garland, 1985.
xxxi, 779p.

醫學社會學：提要目錄

國際文獻 1949 年英語資料選目，將延伸 Litman's Sociology of medicine and health care 1976.多學科的。分類編排。參考書附提要。附著者及主題索引。

151. *Coming to terms: Lesbian and gay health: an annotated bibliography for consumers and health care providers*/ by E.L. Diamond and M.E. Manning.- Buffalo, N.Y.: Diamond, c1985.
14 leaves.

達成協議：女性間的同性愛與同性戀愛的衛生，爲用戶及保健醫療執行者提供的提要目錄

從醫學圖書與雜誌論文中選擇了33條關於同性戀

愛的保健醫療資料。但摒棄了主要淫蕩期刊上的資料。按著者字順編排。每一條目都附提要及目錄資料。無索引。共14頁。

152. *The Software catalog: health professions:* produced from the MENU/ International Software Database/ James S. Lewis, editor,- New York:Elseviers, c1985. x29, 188p.: ill., ports.

軟體書目：衛生專業

按出賣人字順編排，每條註明：地址、要目及描述。附多種多樣的索引。

5. 職業衛生

153. *Ridgely, M. Susan. Alcohol & other drug abuse among homeless individuals: an annotated bibliography/* M. Susan Ridgely, Caroline T. McNeil, Howard H. Goldman; prepared by Row Science, Inc.- Rockville, Md.: U.S. Dept. of Health & Human Services, Public Health Service, Alcohol, Drug Abuse, and Mental Health Administration, National Inst. on Alcoholism, [c1988] (1990 printing)-
ix, 87p.-

個體戶濫用酒精及其他藥物提要目錄

章末參考目錄含雜誌論文、政府報告、圖書情報和未出版的材料。有些附提要。無索引。

154. *Occupation safety and health 1976-1980*: a bibliography = Sécurité et hygiéne au travail, 1976-1980: bibliographie.- Ottawa, Canada: Available from Technical Resource Centre, Occupational Safety and Health, Labour Canada, c1981.
x, 75p.

職業安全與衛生

用英法兩種文字編寫。選材自加拿大工人在各種行業中的安全與衛生資料。很多條目是用法文編寫的。按主題編排。有很多雜誌附錄。無索引。

6. 治　療

155. *National disease and therapeutic index (NDTI)*. Six digit diagnosis by quarter/ IMS America.- Ambler PA.: IMS America Ltd., 1982.
v.

國民特有的疾病與治療索引（ NDTI ）

根據1981年資料編寫。統計資料係根據診斷出的18 種疾病。按診斷類編排。

7. 傳染病與營養紊亂

156. *Infectious diseases and nutrition disorders*.- Tokyo: Southeast Asian Medical Information Center. International Medical Foundation of Japan, 1983. 348p. (SEAMIC-IR; no, 22)

傳染病與營養紊亂

收編1982 年1月以前的題錄 1,540 條，包括新紅熱、沙門氏菌病、肺結核、營養失調、健康狀態指導、霍亂及其他弧菌屬的感染、腸毒性的大腸桿菌等。引文引自 NLM 數據庫。分類編排。

8. 登革熱

157. *Bibliography of Dengue fever and Dengue-like illnesses 1780-1981*/ Compiled and edited by Goro Kuno and Bess Flores; with the technical assistance of Malia Elaseto and Conrad Hopman.- Noumea, New Caledonia: South Pacific Commission, 1982. vi, 303p.

登革熱及類似登革熱疾病目錄 1780 ～ 1981

從 18 世紀到 1981 年收集了全世界參考文獻 3,146 條。包括軍報、信息、論文、也有學院的文章和書中的章節。每一條都附目錄學資料。各種各樣的索引。

9. 毒　物

158. *Bibliography of venmous and poisonous marine animals and their toxins*/ By F.E. Russell ... et al.- Los Angeles, Calif., U.S.A.: Attdending Staff Association, Los Angeles County-University of Southern California Medical Center; Tucson, Ariz.: College of Pharmacy, University of Arizona; Springfield, VA: Obtained from National Technical Information Service, 1984.
vii, 416p.

分泌毒液的和有毒的海洋動物及其毒素

這是美國海軍部與海軍研究所N00014-80-C-0868合同的產品，它把1981年以前世界範圍的參考資料6,779條編輯成册，包括科學文獻、政府官書與主要機構的報告也包括許多一般的或外行的出版物。還包括少數淡水的微生物。按過去作品的章節編排，分一般、門、有毒的魚類、分泌毒液的魚類、海蛇及海洋哺乳動物。附著者索引。

159. *Toxicological and safety aspects of* H_2S *and* SO_2*: a bibliography*/ DW Lee et al.- Vegreville, AB:

Alberta Environmental Centre, 1983.
88p.

H_2S 和 SO_2 的毒性和安全

這是有關硫化氫及二氧化硫的衛生與安全方面的專題論著和連續性出版物的參考文獻目錄，特別是指在加拿大和蒙博托湖 (Alberta) 地方。資料來源於不同的數據庫，是在蒙博托湖政府圖書館編輯完成的。它是一本關於化學方面的化合物在生物和環境方面的普通指南。按原始作者字順編排。無索引。

10. 兒　童

160. *Infant feeding: an annotated bibliography*/ compiled by Christine Marie Crowhurst & BL Kumer.- Toronto Ont.: Nutrition information Service, Ryerson Poly-technical Industrial Library, 1982.
154p.

嬰兒飼養目錄

按照兩個標準收集了 700 多條參考文獻。嬰兒第一年的生活及達到一個正常的健康嬰兒的營養。第二是早產兒和低重量的嬰兒在發展中國家的飼養標準。多數題錄是 1976 年以後發表的。類分 10 節，如：固體食物、嬰兒處方、自己奶養等。每條註明目錄情況及簡略的描述。無索引。

161. *Child support: an annotated legal bibliography*/ prepared by Robert Horowitz and Diane Dodson.- Washington, D/C.: U.S. Dept. of Health and Human Services, Office of Child Support Enforcement, 1984.
1v.

兒童的扶養：提要性的法律目錄

它把自1975以後關於兒童扶養的主要法律文獻集中在一起，作出提要。主要是向研究人員、政府政策、立法、訴訟之用，包括各種各樣的文獻，如：圖書、雜誌論文、法律等。按主題編排。附錄包括聯邦立法資料及國立兒童扶養强制中心審查的題錄。無索引。

162. *Cross cultural childrearing: an annotated bibliography*/Gladys Yip. Vancouver, B.C. Canada: Centre for the Study of Curriculum and instruction, University of British Columbia, c1985.
81p.- (Early childhood series).

交叉文化養育兒童：提要目錄

對兒童養育的實習在世界範圍內發表的圖書與雜誌論文。是向兒童的教師和工作者提供的。分類編排。每一條目均附目錄資料及提要。無索引。

163. *Fetal alcohol exposure and effects: a comprehensive bibliography*/ Compiled by E.L. Abel.- Westport, Conn.: Greenwood Press, 1985.
xv, 309p.

胎兒的酒精曝棄和效果

搜集1984年發表的全世界文獻3,088 篇參考資料,按字順編排。重點在妊娠與胎兒發育,每條有目錄資料。附主題索引。

11. 發展中的國家

164. *An Annotated bibliography of mortality studies India*/ S. Abraham & K.B. Gotpagar. 1st ed.- Bombay: Himalya Pub. House, 1985.
vii, 191p.

印度死亡率研究提要目錄

代表國際人口科學研究會,孟買。從 1921 年到現在羅列了383起印度死亡率研究資料。主要是協助公共衞生工作的研究工作人按:一般情況、嬰兒、母性死亡率及生命表。

165. *A Bibliography on health in Sri Lanka, 1977-1980*/ Kamalika Pieris & CG Uragoda.- Colombo: Ceylon College of Physicians, 1983.
xi, 164p.

1977～1980 斯里蘭卡衛生目錄

係"Bibliography of medical publication relating to Sri Lanka 1811-1976"的補篇。有 1,000 多條有關斯里蘭卡的疾病與人類衛生的參考資料，都是發表在 1977～1980 年間的。包括在國內外出版的刋物。還包括西方醫學等專題論著與連續性出版物的文獻。範圍涉及多科學，尤其是有關社會經濟學方面。按主題編排，每一條目有目錄資料。附著者索引。

166. *SALUS: Low-cost rural health care and health manpower training*.- vol. 5.- Ottawa: International Development Research Centre, c1980.
v.

SALUS：低花費的農村保健醫療及衛生人員的培訓

發展中國家的提要目錄。包括英、法、西班牙的出版物。是世界文獻（主要是雜誌論文）的分類目錄，每一條都有目錄資料和文稿。附著者、主題和地區索引。

167. *Saudi medical bibliography, 1981 & 1982*/ M M Madkour & Aida J. Kudwah.- Edinburgh: Churchill Livingstone, 1983.
269p.

沙特阿拉伯醫學目錄 1981～1982

1981 和 1982 年出版的醫學及與醫學有關的出版物還包括 1887～1980年沙特阿拉伯的醫學目錄中所缺的資料。有一章專門為出生率和死亡率的報告。每一條都附目錄資料和摘要，並編有著者及主題索引。

12. 風濕病學

168. *Arthritis Information Clearinghouse U.S. Catalog*/ Arthritis Information Clearinghouse, Dept. of Health and Human Services, Public Health Service, National Institutes of Health- 1979-
-- Bethesda, Md. Dept. of Health and Human Services Public Health Service, National Institutes of Health, National Institute of Arthritis, Metabolism, and Digestive diseases, 1980- --v-- (NIH publication; no. 81-2232, etc.)

美國關節炎情報交換所書目

這是美國關節炎情報交換所計算機數據庫視聽資料印刷索引，專為關節炎及其有關病家和專業教育計劃而設置的。每一條詳注其目錄資料，還有些購買資料及價目。有著者及書名索引及附錄。

169. *Arthritis and employment: a selected bibliography*/ Arthritis Information Clearinghouse.- Bethesda, Md.:

U.S. Dept. of Health and Human Services, Public Health Service, National Institutes of Health, National Institute of Arthritis, Diabetes & Digestive & Kidney Diseases; Arlington, Va.: the Clearinghouse, 1984.
i, 28p.

風濕病與工作：選目

有57條雜誌論文，圖書及小册子。資料來源於衞生行政檔案及 MEDLINE 數據庫。分類編排，每一條都附目錄資料及提要。附書名索引。

13. 婦 女

170. *Alcohol and pregnancy: a retrieval index and bibliography of the fetal alcohol syndrome*/ LP Gartner; Foundation for the advancement of Health Sciences.- Reisterstown, Md.: Jen Pub. House Co., c1984.
78p.

酒精與妊娠：胎兒酒精中毒綜合症目錄

大約有 300 條世界性的文獻（主要是雜誌論文）p.45～78 係目錄，按著者字順排，每條附目錄、主題索引。

171. *PMS: the premenstrual syndrome*/ compiled by Lorna Peterson.- Phoenix, Ariz.: Oryx Press, 1985.
69p. (Oryx science bibliographies; v. 3)

PMS：行經前的綜合症文摘

選了267條當代論文，全部是英語。雖然是有名的醫學雜誌，但文章技術質量不高。每一條都附簡略的提要，著者索引。

172. *Women, a guide to bibliographic sources in the University of Toronto libraries*/ comp. by Anne Woodsworth; revised by Jane Clark.- Toronto, Canada: Reference Dept., John P. Roberts Research Library, 1974.
iii, 26p.- (Reference series/ University of Toronto Library; no. 15)

婦女，多倫多大學圖書館原始目錄指南

95條參考資料，包括目錄、大綱、字典、百科全書、指南、索引及文摘。同時也包括政府官書，大學圖書館的期刊和大學圖書館以外的資料。有索引。

173. *Women and deviance: issues in social conflict and change: an annotated bibliography*/ Nanette J. Davis et al., comp.- New York, Garland Pub., 1984.
xix, 236p. (Applied social science bibliographies; vol. 1)

婦女與偏差：提要目錄

編選雜誌論文、政府官書等共516條，多半是屬於 1970 年的資料。主要(1)表明偏差行爲與社會約束的關係,(2)促進社會科學與心理學對婦女和她們在社會裏作用的硏究。按類編排。每條附目錄資料及提要，有主題及姓名索引。

174. *Women and sexuality in America: a bibliography*/ Nancy Sahli.- Boston, Mass.: GK Hall, c1984.
xv, 404p.

美國婦女與性的特性

把 19～20 世紀的 1,684 條英文文獻選編在一起，包括圖書、小册子及期刊論著。重點在醫學、精神病學、社會學、歷史和婦女專業的文獻。按時代主題編排。每條都附目錄資料及詳細的提要。有著者、書名及主題索引。

14. 防疫劑

175. *Tropical pest management pesticide index*/ TDRI.- London: Foreign and Commonwealth Office Overseas Development Administration, Tropical Development and Research Institute, 1984.
v.

熱帶鼠疫管理防疫劑索引

據 1984 年資料編寫的。本索引對防疫劑收集了很多原始參考資料。附製造廠名單及地址字順索引。

15. 護 士

176. *1982/1983 drug update to accompany nurses' drug reference, 2nd ed.*/ Joseph A. Albanese.- New York: McGraw-Hill, c1983.
111p.

護士藥物參考：1982～1983 新藥補篇

這些藥物是經 FDA（美國食物藥品管理局）批准，市場有售的。每一條目均註明：牌名、法定地位、用途、注意事項、病家指導、臨床護士須知。索引。

177. *A Bibliography of nursing literature: the holdings of the Royal College of Nursing, 1971-1975*/ edited and compiled by Frances Walsh.- London, Library Association, 1985.
xix, 256p.

護理文獻目錄 1971～1975

是"護理文獻目錄 1961～1970"的續篇。有索引。

178. *Reference sources for transcultural health & nursing: for teaching, curriculum research, and clinical-field practice*/ Leininger.- Throrfare, N.J.: Slack, c1984.
xi, 146p.

超越文化的衞生與護理的參考資料

超過2,300條精選的文獻與影片，打算爲了全體衞生人員特別是護士之用。參考提供了理論、臨床，及科研的資料。包括西方和非西方文化。很多題錄是從人類學派生出來的。分類編排，每條都附目錄資料。無索引。

179. *Issues in nursing: an annotated bibliography*/ Bonnie Bullough et al.- New York: Garland, 1985.
xv, 515p.

護理出版物：提要目錄

按題目編排的2,962條專題論著及連續性出版物文獻和當今主要的出版物。附精選的英語參考並有與當今刊物有聯繫歷史資料。著者索引。

16. 核醫學

180. *NMR imaging, a comprehensive bibliography*/ Jozef Jaklovsky.- Reading, Mass.: Addison-Wesley, Advanced

Book Program, 1983.
xvi, 260p.

核磁共振成像：綜合目錄

包括時間 1962 ～ 1982。是一個 5,000 條的綜合目錄。包括專業文獻、專利、機構及個人活動，包括核磁共振、核磁共振波譜學應用到醫學及生物學分析，以及核磁共振與生物效果的磁場。術語。主題和國別索引。

17. 計畫生育

181. *Ethical and legal aspects of human in vitro fertilization: a selected and annotated bibliography*/ Compiled by Gayle McNabb.- Melbourne, Vic.: Dept. of Librarianship, Melbourne College of Advanced Education, 1984.
81p.

試管嬰兒的道德與法律觀：精選提要目錄

選擇 1983 年 10 月出版的報告、圖書、政府官書、會議錄及雜誌論文 118 篇編成提要目錄。剔除宗教與教義的引文。分類編排附目錄資料。有主題、著者、題錄及期刊索引。

18. 計算機斷層攝影術

182. *Annotated bibliography of computed tomography*/ prepared by SJ Dwyer III, et al.- Columbia, Mo.: H. Services Research Center/ Health care Technology center, University of Missouri-Columbia, c1979.
xi, 367p.

計算機斷層攝影術提要目錄

選自 1978 年夏季出版的有效驗的計算機斷層攝影術的出版物以及臨床、技術雜誌文獻共 1,700 條。按分類編排，按計算機斷層攝影技術部位。每一條附目錄資料及著者文摘。有著者索引。

19. 矯形外科學

183. *Ongoing current bibliography of plastic and reconstructive surgery* (Chicago, Ill.: 1980). Ongoing current bibliography of plastic and reconstructive surgery.- vol. 8, no. 3 (May-June 1980-) Chicago, Ill.: American Society of Plastic and Reconstructive Surgeon, Educational Foundation, 1980.
v.

在行進中的整形與矯行外科學當代目錄

這個目錄是 "Ongoing current bibliography of

plastic and reconstructive surgery, v. 8, no. 3 (May-June 1980)" 一期。是續 1980 年 11/12 期出版的："Current bibliography of plastic and reconstructive surgery" 形式照《美國醫學索引》按 MeSH 主題詞表收編引文。包括世界範圍的文獻。

20. 老年醫學

184. *Bibliographie internationale de gerontologie sociale: selection commentee par pays = International bibliography of social gerontology: an annotated core list by country*/ realisee par Maggy Bieulac.- Paris: Contre internationale de gerontologie sociale, 1932.
2v.

社會老年醫學國際目錄

從65個國家的核心刋物中選擇了着重解決問題的文獻 1,500 篇。爲了促進社會老年醫學能達到一個國際先進水平。按國際名字順編排，每一條目註明目錄學資料、出版家、地址。提要用英、法文撰寫。附出版家地址目錄單；附地區、著者及時間索引。

185. *Abuse of the elderly: a guide to resources and service*/ ed. by Joseph J. Costa.- Lexington, Mass.: Lexington books, c1984.
xiii, 289p.: ill.

老年人濫用藥物

書中第225～289頁均係目錄。附錄有機構、教育、培訓資料、規劃、組織及專題論著與雜誌文獻。並包括老年人濫用藥物的論述。無索引。

186. *Geriatrics, pregeriatrics rehabilitation*. v. 1, no. 1, 1985. (W. Germany)

老年病學，前期老年病學康復

主要書目及雜誌論文選自英、法、德雜誌。包括即將召開的國際會議，新書目、病員報紙、雜誌論文附提要。用分類編排，類目即索引。(請參見 p. 61)

187. *Health promotion for older persons: a selected annotated bibliography*/ prepared for the Administration on Aging, Office of Human Development Services, U.S. Department of Health and Human Services ... by Alan Pardini.- Washington, D.C.: The Administration, 1984.
iii, 39p.

促進老年人健康

選編有關適當的運動、營養、心理健康、損傷控制、藥物管理、發展規劃、及選擇環境等61篇提要目錄。無索引。

188. *How and where to research and find information about aging in America*/ by R.D. Reed.- Saratoga, Calif.: R & E Publishers, c1983.
v, 42p.

在美國怎樣研究和到何處去找尋衰老的資料

（該書提要請見 p. 61）

189. *Index to periodical literature on aging*.- Detroit, MI: Lorraine Publications, c1984-
v. 2, no. 2 [i.e. no. 1]

關於衰老的期刊文獻索引

續 "Areco's quarterly index to periodical literature on aging."是一本綜合性的英語期刊衰老文獻索引。選材於核心老年病學雜誌及多學科的雜誌文獻、目錄的著錄按主題及原始著者編排，還包括有評論的書目參考。

190. *Nutrition and the elderly: a selected annotated bibliography for nutrition and health professionals*/ Compiled by Evelyn Cox & Janet Sandberg.- Washington, D.C.: U.S. Dept. of Agriculture, 1985.
vii, 150p. : ill.

營養學與老年人：營養與衛生專業提要書目

選擇已發表和未發表的各種英語題錄 399 條。重點在美國超過60歲人的營養問題。按主題排，每一條目均有目錄資料和提要，附題錄及著者索引。

21. 免疫學

191. *Current titles and abstracts in immunology, transplantation and allergy*.- Amsterdam: Elsevier, c1985. v.

免疫學、移植及過敏現刊題錄及文摘

半月刊，選材來自 Excerpta Medica 數據庫。按免疫系統功能分類編排，並有一章專論免疫學與移植和過敏性。目錄條款附文摘、有著者及主題索引。

22. 接觸性皮炎

192. *Plant contact dermatitis*/ Claude Benezra ... et al.- Toronto, Decker, 1985.
353p.: ill.

植物接觸性皮炎

按植物的生物分類學引起過敏性接觸性皮炎還有一些有毒的或者光害的情況分類。爲了醫師、植物學家和化學家之用。每一條註明植物方面和臨床方面的資料、成斑試驗、交叉反應、參考、彩色照片、植物描述、植物傷害劑的化學結構、來源和其他數據。附各種各樣的附表及植物學名詞。有一般索引、化學索引、臨床名稱索引、科學名稱索引，還有土話名稱索引等。

23. 軍團病

193. *Legionnaires' disease*.- Tokyo: Southeast Asian Medical Information Center, International Medical Foundation of Japan, 1983.
74p.

軍團病索引

根據美國國立醫學圖書館 MEDLAR 數據庫與日本科學技術情報中心合作編製。選擇 1980 年 1 月～1981 年 12 月出版的 377 種雜誌文獻。按微生物學、診斷學、藥物治療、病理學、免疫學及軍團病桿菌等主題編排。無索引。

24. 潛　水

194. *Key documents of the biomedical aspects of deep-sea diving*: selected from the world's literature, 1608-1982.- Bethesda, Md.: Undersea Medical Society, 1983.
5v.: ill

深海潛水的生物醫學方面關鍵文獻

選擇 1608 ～ 1982 ，374 年全世界有關文獻編製而成。把一些重要的如報告、雜誌論文及書中的章節均全文引用。每卷都附全書目次，第 5 卷有著者和主題索引。

25. 人與獸

195. *A Bibliography of human/ animal relations*/ S.R. Kellert & J.K. Berry.- Lanham: Univ. Press of America, c1985.
13, ca. 200p.

人 / 獸間相互關係目錄

從 1960 ～ 現在出版的資料中選擇了 3,861 條文獻反映在社會、政治、文化、心理學方面人與獸互相依存的關係。選擇的標準都是接近學術的和科學的文獻，着重於人與獸的互相作用方面。按著者字順編排。每一條註明目錄資料及關鍵詞。引文用關鍵詞。

196. *The human-animal bond: an annotated bibliography*/ by K.M. Allen.- Metuchen, N.J.: Scarecrow Press, 1985.
x, 246p.

人獸的聯結：提要目錄

選擇了雜誌論文和圖書資料共 819 條提供了有意義的文獻。參考的按排是：人獸聯結與社會、動物醫治的價值、歷史的紐帶、作伴的動物、紐帶與獸醫等。每一條註明目錄資料及提要，附錄有人獸互相依存的中心和組織。附著者及題錄索引。

26. 社會安全

197. *Annotated readings in social security.*- Wash., D.C.: U.S. Dept. of Health & Human Services, Social security administration, Office of Policy, Office of Research & Statistics: For sale by the Supt. of Docs., U.S. G.P.O., 1982.
600p.

社會安全提要讀物

收編 2,500 種參考書目關於社會保險。分類編排，附著者、主題索引。

27. 食　物

198. *Food & nutrition; newsletters, news releases, & journal: a selected list*/ Compiled by Charlotte Broome; assisted by Donna MacDonald.- Toronto: Nutrition Information Service, Ryerson Polytechnical

Institute Library, 1981.
ix, 41p.

食物與營養：選目

選材於團體、消費者、發展的組織、政府機構、工業與商業，私人出版商及專業組織的出版物。按照前面的來源編排，每一條註明目錄資料、價格、索引狀況和提要。字順題錄索引。

199. *Human food uses: a cross-cultural, comprehensive annotated bibliography supplement/* compiled by RL Freedman.- Westport, Conn.: Greenwood press, c1983.
xxxiii, 387p.

人類食品用途：綜合性提要目錄

把1981年出版的資料選擇了4,025條。按原始著者字順編排。主要是英文文獻，但也有外國文獻。每一條註明目錄資料和提要。附關鍵詞索引。

28. 心理衛生

200. *Disasters and mental health: an annotated bibliography/* National Institute of Mental Health, Center for Mental Health Studies of Emergencies; compiled and edited by F.L. Ahearn, Jr. and R.E. Cohen.-

Rockville, Md.: U.S. Dept. of Health and Human Services, Public Health Service, Alcohol, Drug Abuse, and Mental Health Administration, National Institute of Mental Health; Washington, D.C.: For sale by the Supt. of Docs., U.S. G.P.O., 1985 printing.

viii, 145p. (DHHS publication; no. (ADM) 84-1311)

天災與心理衛生：提要目錄

選擇了近20年來關於理論、牽連着個人的、干預心理衛生、防治規劃的專題論著和雜誌文獻共297條，爲了向心理衛生專業人員及研究人員提供參考。按主題編排，每一條註明目錄資料及提要。有著者索引。

201. *Mental health and aging: an annotated bibliography, 1970-1982*/ Compiled by J.A. Richardson.- Winnipeg, Man.: Centre on Aging, University of Manitoba,c1984. viii, 292p.

心理衛生與衰老，1970～1982 提要目錄

選擇英、美、加拿大三國文獻（主要是圖書與雜誌論文）關於心理衛生問題伴隨着衰老。參考資料也是從老年病學、社會工作、遺傳諮詢，和護士方面選編的。按以上四個主題編排。每一條註明目錄資料及提要。無索引。

202. *Index of free and inexpensive food and nutrition information materials*/ compiled by K. Gordon, et al.- Toronto: Nutrition Information Service, Ryerson Polytechnical Inst. Library, 1981.
viii, 269p.

免費和廉價的食品、營養資料索引

大約有 2,000 種免費和廉價的小册子和說明書；有多不超過三元，主要的資料是關於加拿大及美國的，分類編排，每一條註明：題錄、出版商、日期、頁次、和價格。有主題、題錄及來源索引。

29. 糖尿病

203. *Diet and nutrition for people with diabetes: selected annotations for patients and the public*/ prepared by the National Diabetes information Clearinghouse.- Bethesda, Md.: U.S. Dept. of Health and Human Services, Public Health Service, National institutes of Health, National Institute of Arthritis, Diabetes, and Digestive and Kidney Diseases, 1983.
2v.- (NIH publication; no. 83-1872)

糖尿病病人的飲食和營養

從雜誌論文、專題論著和視聽資料中選擇了 438 條編製目錄。每一條註明目錄資料、提要、評論、價格、購買來源。附多種多樣的索引。

204. *Mental health issues: Indochinese refugees: an annotated bibliography*/ Barbara J. Silver and Josephine Chui.- Roockville, Md.: U.S. Dept. of Health & Human Services, Public Health Service, Alcohol, Drug Abuse and Mental Health Administration, National Institute of Mental Health, 1985.
vii, 52p. (DHHS publication; no, ADM 85-1404)

心理衞生號：印度支那災民提要目錄

從圖書和雜誌論文中選擇了79條。主要是爲了協助在美國做東南亞災民的心理衞生服務工作人員。包括柬埔寨、老撾、越南及印度支那。專爲心理衞生專業人員之用。每條註明目錄資料、人口、觀衆及提要。附觀衆與人口索引。

205. *Mental health practices in primary care settings: an annotated bibliography, 1977-85*/ Greg Wilkinson.- London: Tavistock, 1985.
xi, 428p.

對新生兒的心理衞生實踐：提要目錄

從雜誌論文、圖書和政府官書中選擇600條，參考資料都是1977年到1985年8月出版的英文及外文論文。雜誌論文作了提要；圖書、政府官書、外文參考及最新論文另作編排。附著者、主題和雜誌引文索引。

206. *Primary prevention in mental health: an annotated bibliography*/ *by John* C. Buckner et al.- Rockville, Md.: U.S;. Dept. of Health and Human Services, Public Health Service, Alcohol, Drug Abuse, and Mental Health, 1985.
xv, 425p.- (Prevention publication series; no. 10)

心理衞生最初預防：提要目錄

從雜誌論文及專題論著中選擇1,008條目錄以適應心理衞生最初的預防。綜合性的。分爲20節編排。每條註明目錄資料及提要。著者索引。

207. *Social networks and mental health: an annotated bibliography*/ By D.E. Biegel et al.- Beverly Hills: Sage Publications, 1985.
391p.

社會廣播與心理衞生：提要目錄

採用了MEDLINE. ERIC. NCMHI. 及PSYCHOINFO等數據庫選編了1,340條連續性出版物及專題論著有關心理衞生最初的辦法。分類編排，每條均註明目錄資料及簡短的提要。有著者、主題索引。

30. 維生素E

208. *Vitamin E ... abstracts.- 1980-* Minneapolis, Minn.: Distributed by Henkel Corp., Fine Chemicals Division, c1982.
v.

維生素E……文摘1980

為了向致力於維生素E研究人員提供新的資料，採取分類編製如：藥物學、營養、治療用途等。也包括國外參考。每一條註明目錄資料，研究所及簡短提要。無索引。

31. 微生物學

209. *Approved lists of bacterial names/* ed by V.B.D. Skerman et al; on behalf of the ad hoc Committee of the Judicial Commission of the International Committee on Systematic Bacteriology.- Wash. D.C.: American Society for Microbiology, 1980.
p. 225-420 (Reprinted from Vol. 30 of the International Journal of Systematic Bacteriology.)

審定的細菌名稱

這些名稱都是在1980年1月。經過正式批准的。按照屬、種，和較亞種分類字順。每一條註明：名稱、原始來源，菌株名稱。是 "Bergey's manual of determinative bacteriology,8th ed. 1974" 輔助參考。

32. 顯微手術

210. *Organized bibliography of the microsurgical literature*/ By D.L. Ballantyne et al.- Rockville Md.: Aspen Systems Corp., 1985.
xiv, 386p.

顯微手術文獻編組目錄

從圖書、書中章節、簡短的通訊、研究摘要、顯微儀器、技術、顯微手術的臨床應用等來源的綜合性目錄參考。包括除英語外的13種語文的參考資料。按主題編，著錄附目錄資料，無索引。

33. 吸 煙

211. *Bibliography on Smoking and Health, 1982*/ compiled by Informatics General Corporation.- Washington, D.C., G.P.O., 1983.
573p. (Public Health Service Bibliography series, no. 45) $7.50 pa

吸煙與健康目錄

收編1,857條文摘。

212. *Smoking & Reproduction: a comprehensive bibliography*/ EL Abel compiler.- Westport, Ct, Greenwood Press, 1982.
xviii, 163p. $35.00
ISBN 0-313-23663-1ASR1

吸煙與生殖綜合目錄

主要着重吸煙與兒童生育及嬰兒死亡率。有1,232條專題論著及雜誌引文直到1982年5月的資料。

34. 血漿去除術

213. *Topics in plasmapheresis: a bibliography for therapeutic applications and new techniques*/ editors, Takahashi Horiuchi ... et al.- 3rd ed. Cleveland: ISAO Press, 1984.
134p.

血漿去除術新技術目錄

選擇了專題論著及連續性出版物的參考文獻1,989條，按分類編排，每條註明目錄資料，附著者索引。

35. 牙　科

214. *National Institute of Dental Research indexes*.- Bethesda, Md.: Research Data and Management Information Section, National Institute of Dental Research, National Institute of Health.- 1984.
v.

美國牙科研究所索引

列舉了外部和內部的規劃。資料提供是按規劃號碼、主題、調研者及實驗室。

36. 腰背痛

215. *A Back Pain bibliography*/ compiled & edited for the Back Pain Ass'n by Barry Wyke.- London: Published on behalf of the Association by Lloyd-Luke (Medical Books), 1983.
xvi, 463p.

腰背痛目錄

選擇了6,400條研究腰背痛的資料，着重關聯，着重歷史情況，着重有爭論的對照。也包括外語材料。分類編排，每條註明目錄資料，但未編索引。

37. 遺　傳

216. *Social and psychological aspects of genetic disorders: a selected bibliography*.- Washington, D.C.: National Center for Education in Maternal and Child Health, 1985.
iii, 52p.

先天性障礙的社會與心理概況：選目

選自圖書、雜誌論文及視聽資料。按主題編排，每條註明目錄資料及偶然的文摘。附錄資料來自MEDLARS聯機數據庫及當地醫學圖書館。

38. 醫　院

217. *Hospital medical staff organization: an annotated bibliography*/ By Peggy Leatt ... et al.- Ottawa, Ont.: Canadian Hospital Association, c1983.
v. 63p.

醫院中醫務工作人員的組織：提要目錄

從當今研究中、報告中和分析中選擇了80條適合加拿大醫院醫務工作人員的組織參考資料。按主題編，每條註明目錄資料及提要，包括著者工作字順清單。

218. *Bibliography for hospital resource development, annotated: a useful tool for fund raisers and resource development teams*/ National Association for Hospital Development; editor, J.B. Alexander.- McLean, Va.: The Association, c1984.
66p.

醫院資源開發提要目錄

所搜資料：圖書限於1979～1983年出版的，雜誌論文限於1982～1983年出版的；也包括小冊子。按主題編，包括期刊和出版家清單。每條註明目錄引文及提要、附著者索引。

39. 運動醫學

219. *Drug abuse in sports: an annotated bibliography*/ by Betty Weiner.- Brooklyn, N.Y.: CompuBibs, 1985.
34 leaves

運動時濫用藥物：提要目錄

從科學雜誌中、圖書、報紙和普通雜誌中選擇了100條編爲34頁。未編索引。

40. 自　顧

220. *Self-care: an annotated bibliography*/ by Alison

Woomert et al.- Atlanta, Ga: Dept. of Human and Health Services, Public Health Service, Centers for Disease Control; Springfield, Va.: Sold by the National Technical Information Service, 1982.
238p.

自顧：提要目錄

339條選目對衞生專業和外行人都可以參考。包括急性和慢性病。附著者、主題索引。

（參見 p. 62 ）

七、醫學字典與辭典

字典是工具書的一種。彙集單字，按某種檢字方法編排，並一一註明其讀音、意義和用法。

辭典亦作詞典。彙集語言裏的詞語，按某種檢字方法排列，並逐一加以解釋，是供人查閱的工具書。普通辭典彙集通用詞語；專科辭典彙集某一種或幾個相關專科的詞語。在不同語言間有兩種或多種語言對譯對照的辭典。分類辭典中還有正音辭典、正字辭典、成語辭典、方言辭典、外來語辭典、同義詞辭典、詞源辭典等。

一般都有很多附錄是人們日常所需要的參考資料，值得我們注意的。當此知識激增的年代裏，新字、新詞與日俱增，醫學字典辭典也不例外，爲此，以下所舉的字典與辭典都是 1980 年以後出版的，以饗讀者。有些辭典爲了表達它收詞廣博往往在書名上用 Cyclopedic 如 223 卽是。還有用 Encyclopedia 加在字典書名裏爲 230,231,232 等，其實它們都是辭書。

(一) 一般醫學字典

221. *Bailliére's abbreviations in medicine*/ Edwin B. Steen.- 5th ed.- London: Bailliére Tindall, 1984.

255p.

Bailliare's 醫學縮寫字典（第5版）

是 1978 年第4版的增訂本。醫學各科的縮寫字全部包括了,按字順排列。新詞包括如：醫學機構、牙科學、職業與物理療法、心和肺的療法、生物化學、實驗室醫學等。

大約有145種雜誌的縮寫、目錄，還包括另一組符號。

222. *Black's medical dictionary*/ Ed. by C.W.H. Havard.- 35th ed.- London, A. & C. Black, c1987.
750p.: ill.
ISBN 0-7136-2810-3

Black氏醫學辭典（第35版）

“這是一本百科全書型的醫學辭典，全部修訂概括了醫學的新發展。它堅持原先面向大衆的原則，企圖使人類明白人的身體是怎樣運轉的，當代醫學有些什麼貢獻。”

新版書的特色給下列主題作了深入地供給情報，包括:染色體、遺傳密碼、超聲和CT 掃描的潛在力，同位素在醫學上的應用、血漿交換、碎石術、身心疾病、胃腸外營養等。新增章節有：英聯邦衞生服務組織，醫學專業輔助、語言治療、手足醫術和飲食學等。

各條資料詳簡不一。第1版1906，第34版1984。

223. *Butterworths medical dictionary*/ M. Critchley, editor.- 2nd ed.- London: Butterworths, 1987.
1942p. $29.95
ISBN 0-407-00061-5

Butterworths 醫學詞典（第2版）

1961年第1版書名"British Medical Dictionary"有傳記和名字被用來作地方命名的資料，有縮寫詞80頁，附錄有解剖學命名法。

224. *Clinical abbreviations for the health sciences*/ Carlton Victoria: Lincoln Institute of Health Sciences, c1982.
61p.

醫學臨床縮寫字典

收編一般臨床專業應用和有關學科應用的縮寫字。也包括一些非醫學的縮寫字和榮譽用詞。

225. *Concise medical dictionary*/ Text prepared by Laurence Urdang Associates.- 2nd ed.- Oxford: Oxford University Press, 1985.
vii, 676p.: ill.

簡明醫學字典（第2版）

為了醫學前期工作者、學生、醫生之用。包括的範圍是：解剖學、生理學、生物化學、藥理學以及醫學大科和手術學；還有心理學、精神病學、傳染病學，及牙科學特別豐富。有解釋的定義。略圖和表。

226. *Cyclopedic medical dictionary*/ C.W. Taber, editor.- 16th ed.- Philadelphia: Davis, 1989.

百科全書型醫學詞典（第16版）

227. *Dictionary of medical objects* = Medizinisches Sachworterbuch = Dictionnaire d'objets medicaux = Medicinae rerum verborum index/ A. Nobel, editor.- Berlin: Springer-Verlag, 1983.
x, 1344p.

醫學字典

包括19,114 條英語醫學名詞。附德、法文名詞並有簡短的釋詞；還有拉丁補充字滙與英文詞對照。

228. *Dictionary of medical syndromes*/ S.I. Magalini & E. Scrascia, editors.- 2nd ed.- Philadelphia: Lippincott, 1989.

綜合症字典

按綜合症名稱字順編排。在每一個綜合症下列出同義詞、症狀、病症、病因、病理、診斷程序、治療、癒後及參考書目。

229. *Dictionary of medicine, English-German: containing about 55,000 terms*/ compiled by J. Nöhring.- Amsterdam: Elsevier; New York: Distributors for the U.S. and Canada, Elsevier Science Pub. Co., 1984.
708p.

英德醫學字典

大約收編 55,000 詞，這一本是英德、德英即將出版，包括醫學全部詞彙。爲醫學翻譯者提供方便，著錄從簡。

230. *Oxford companion to medicine*/ Ed. by John Walton et al. Oxford: Oxford univ. press, 1986.
2v.
ISBN 0-19-261191-7

牛津醫學指南

收編長短不一的專著，有些是關於醫學史，有些是當代醫學論文，都是有關重要的訓練，專門研究，還有臨床實踐的廣泛論題，對護士及從事衞生專業人員關於醫學專門研究有深入細緻的信息。

231. *Dictionnaire des termes techniques de médecine.*/ M. Garnier & V. Delamare, editors.- 21e. éd.- Paris: Maloine, 1985.
xi, 873p.

標準法文醫學辭典（第21版）

這是一本標準法文醫學辭典既保持了傳統特色也收錄了新詞。編有縮寫詞，名字被用來命名國家或地方及首字母縮略詞。每一條有的註明字源、成語、詞類、同義語，有關人和時代，定義和互見參考等。

1900年第1版，1978年第20版。

232. *Dorland's illustrated medical dictionary.*- 27th rev. ed./ Philadelphia: Saunders, 1988.-

Dorland's 插圖醫學辭典（第26版）

有傳記及名字被人用來命名國家或地方的材料。書目是採用美國醫學索引的 MeSH 主題詞編製的。

233. *Mosby's medical, nursing and allied health dictionary*/ managing editor, Walter D. Glanze; revision editor, K.N. Anderson; consulting editor and writer, Lois E. Anderson. 3rd ed.- St. Louis: Mobsy, 1990.- (various pagings) ill. Cover title: Mosby's medical,

nursing & allied health dictionary. Includes bibliographical references.

Mosby 醫學、護理與保健詞典

對專業名詞定義作了解釋，適用於護士和衞生專業人員。同時包括以人名命名的詞、略語、揷圖，並附一幅人體解剖彩色圖。21 種附錄。第 1 版，1983；2 版，1986。

234. *Encyclopaedia of Indian medicine*/ SK Ramachandra Rao, editor.- Bombay: Popular Prakashan on behalf of Dr. V. Paramechvara Charitable Trust, Bangalore, 1985.-
v.1: Historical perspective.

印度醫學百科全書（第 1 卷：歷史透視）

全書共 6 卷，各條著錄長短不一，有多種多樣的附錄。

235. *Encyclopedia of medical history*/ RD McGrew & MP McGrew, editors.- New York: McGraw-Hill, c1985.- xiv, 400p.

醫學歷史百科全書

選了 103 條醫學重點的醫學題目。爲了一般讀者、歷史系學生、醫學系學生閱讀之用。每條都是短篇論文，包括參考和互見參考。一般索引。

236. *English-Chinese-Japanese pictorial dictionary of medicine*/ NS Chung, et al., editors.- Hsiang- Kang: Wan, Li shu tsin, 1985.
16, viii, 791p.: ill.

英、中、日醫學繪圖辭典

按三國語文編排，附中、英、日三種文字索引。附很多插圖。

237. *Glossary of terms used in the "Health for all" series no. 1-8.*/ World Health Organization.- Geveva, WHO, 1984.

醫學詞彙表

聯合國衛生組織編製發行。

238. *International dictionary of medicine & biology.*- N.Y.: Wiley, c1986.
3v.
ISBN 0-471-01849-X

國際生物醫學大辭典

此書編輯工作歷時十年之久，均出自各專家之手，有七大特色：著錄格式、單詞命名法、字順法、參見法、使用方法、字源學、縮寫詞及符號。收詞151,000條，新老詞彙兼備，很多歷史性的條目。很多互見參考。其特色之一是主要款目十副屬詞，爲Hepatitis 款目下，有53種副屬詞，能使讀者開擴視野。

239. *Chambers biology dictionary*/ Ed. by Peter M.B. Walker.- Cambridge; New York etc.: W. & R. Chambers Ltd., c1989.
xii, 324p.: ill.-
ISBN 1-85296-153-X

Chambers 生物學詞典

這本詞典是以 Chambers Science & technology dictionary爲基礎發展成一部綜合生物學詞典。收定義10,000條，動物學3,000，植物學2,500，生物化學，分子生物學和遺傳學1,200。還有，關於動物與人類行爲、免疫學、生態學、化學、醫學、放射學和統計學等豐富的條目。

其主要的特點是編有一系列的特種文獻，總計超過一百篇，如：愛滋病、細菌、細胞周期、細胞壁、綠葉體、染色體顯分帶、補體、發酵、遺傳密碼、遺傳工程、免疫球蛋白結構、主要代謝途徑、光合作用、限制和緩和、胸腺抗原和細胞，以及重要分子結構和生物技術等。

240. *Lithium encyclopedia for clinical practice.*/ J.W. Jefferson, et al., editor.- Washington, D.C.: American Psychiatric Press, c1983.
xviii, 319p.

臨床應用鋰百科全書

從三個相互作用的計算機方案發展的:鋰圖書館、鋰索引以及鋰的會診作用，爲了提供給專業人員得到新鮮情報關於鋰在臨床上的用途的一種教材和參考資料。包括101條著錄，每條註明導論及參考，附索引。

241. *Medical abbreviations and eponyms.*/ SB sloane, editor.- Philadelphia: Saunders, 1985.
viii, 410p.

醫學縮寫詞及名字被用來命名的詞典

綜合性的、簡略的著錄，爲了糾正及鑒定拼法。附錄很多有原素表、符號、前綴詞、希臘字母、胎位圖。

242. *Medical abbreviations handbook*/ rev. and expanded by Logical Communications Inc.- 2nd ed. Oradell, N.J.: Medical Economics Bllks, c1983.-
vi, 193p.

醫學縮寫詞手冊（第2版）

"Quick directory of medical abbreviations" 一書的增定本，新穎及時。大約搜集了4,400條，分9個主題：解剖學名詞、生理學名詞、症狀與疾病、診斷名詞、治療名詞、醫囑醫學化學、計量名稱及微生物。根據各種醫院的用法編製。

243. *Dictionary of medical acronyms and abbreviations*/ Ed. by Stanley Jablonski.- Philadelphia: Hanley & Belfus, 1987.
205p.
ISBN 0-932883-02-8

醫學首字母縮略詞及縮寫詞字典

主要是醫學也包括其他科學技術的首字母縮略詞及縮寫詞。

244. *Medical dictionary of the English-German languages*/ DW Unseld, editor.- 8th ed. Wissenschaftiliche Verlagsglsellschaft, 1982.-
ISBN: 3-8047-0661-4

英德、德英醫學辭典（第8版）

集英德、德英於一冊。

245. *Medical secretary's and assistant's encyclopedic*

dictionary/ L Karlin & MS Karlin, editors.- Englewood Cliffs, N.J.: Prentice-Hall, c1984.-
241p.: ill.

醫學秘書及助理百科辭典

是一本主題字順清單附解釋詞；也是一本醫學術語詞典。主題包括職責、工序、秘書方法及醫學辦公室助理工作。附錄是處方上的縮寫詞。

246. *The Mosby medical encyclopedia*/ WD Glange, editor.- NY: New American Library, c1985.
xiv, 905p.

Mosby 醫學百科全書

根據 "Mosby's medical and nursing dictionary" 重新增訂編寫，文字淺顯易懂。約有 20,000 條詞組，名字被用來命名的詞、縮寫詞、揷圖、一幅彩色地圖及附錄。

247. *Mosby's medical & nursing dictionary*/ K.N. Anderson, revision editor.- 2nd ed.- St. Louis: Mosby, 1986.
xx, 44, 1563p.: ill.

Mosby's 醫學護理字典（第2版）

特別在護理方面的詞彙釋義對護士很有用，還有其他衞生專業方面。同時也包括名字被用來命名、縮寫詞、揷圖，還有一幅彩色人體解剖圖。附錄有16種。1983 年出版第一版。

248. *Mosby's medical speller.*/ St. Louis: Mosby, 1983.-ix, 468p.

Mosby's 醫學拼字書

爲了建立一個關於保健醫療標準而有效的用語，特編輯此書。搜集了 60,000 字關於區分音節、變數形式、交錯或相關的形式。附錄包括縮寫詞、計量單位、前綴詞和詞尾。

249. Powers, Bethel Ann. *A dictionary of nursing theory and research*/B.A. Powers, Thomas R. Knapp.- Newbury Park: Sage Publications, 1990.-
180p.: ill. Includes bibliographical references (p. 169-179)

護理理論及研究詞典

適用於實習護士及學生。所列條目繁簡多變，“就我們看來，它對最基本的和最常用的名詞非常注重，對名詞的革新和變化也同樣關注。”有互見參照和參考目錄。

250. *Duncan, Helen A. Dictionary for nurses. Duncan's dictionary for nurses*/ Helen A. Duncan.- 2nd ed.- New York: Springer Publishing Co., c1989.- xi, 802p.: ill.

護士詞典 （第2版）

簡明綜合詞典，專供護士應用。收詞包括名裏、傳記和略語、有挿圖及綜合附錄。

251. *Physicians' Current Procedural Terminology: CPT*.- 4th ed. Chicago, Ill.: American Medical Association, 1984.

醫生現代程序詞彙 （第4版）

按主題編排，每一條註明號碼及程序。有很多種附錄。索引。

252. *Russisch-Deutsch technik-wörterbuch medizin*/ G Alexander, editor.- VEB Verlag Technik, 1983. 508p.

俄德醫學技術詞典

收詞38,000條。

253. *Stedman's medical dictionary*.- 24th ed./ Wms and Wilkins, 1982.

Stedman's 醫學辭典（第24版）

254. *Stedman, Thomas Lathrop. Stedman's medical dictionary, illustrated*.- 25th ed.- Baltimore: Williams & Wilkins, c1990.-
xxxviii, 95, 1784p.: ill, port.

Stedman 氏醫學詞典（第25版）

這是一本綜合性的標準醫學辭典，適合於全體生命科學的學生和專業人員使用。含有醫用昆蟲學章節並附形容或其他描述名詞的小章節。新版本增添的條款，超過了10,000目還包括名祖和簡略傳記資料。有四種綜合資料附錄。1911年發行第1版，有100,000條詞目。第24版，1982年出版。

255. *The Language of biotechnology; a dictionary of terms*/ Ed by John M. Walker & Michael Cox.- Washington, DC, American Chemical Society, 1988.
viii, 255p.: ill.-
ISBN 0-8412-1489-1

生物工藝學語言

這是一本解釋用於生物工藝學領域裏各種專業用

語的詞典。

256. *Taber's cyclopedic medical dictionary*/ C.L. Thomas, editor.- 16th ed.- Philadelphia: Davis, c1989.

Taber's 淵博的醫學詞典（第 15 版）

這是一本精確而又新的綜合性醫學詞典，貢獻給護士及衞生從業人員。包括新詞、保健醫療專業的變化、病員護理、法律與道德方面的資料。也包括傳記。每條字註明音標，字源學、定義、付目、縮寫詞、同義語、互見參考及彩色圖。很多附錄， 1940 年第 1 版，1985 年第 15 版。

257. *The Unified medical dictionary: English, Arabic, French*/ J. Anouti, editor,- 3rd ed.- S.l.: Medlevant AG, 1983.
760, 99p.: ill.

英、阿拉伯、法合一醫學詞典（第 3 版）

第 1 版 1983 年出版；第 2 版 1978 年出版。是一本英、阿拉伯、法三種文字均等的字典，有草圖。

(二) 英漢醫學字典

258. **常用醫學外語略語手册**

施允成等編著·—長沙：湖南科學技術出版社，1981.〔4〕，242頁。

收集常用醫學略語近3,000條，包括藥物、實驗檢查、病名、生理生化病理、處方、元素符號及其他七個方面內容。

259. **現代英漢醫學、藥學、衞生學略語詞典**

王懿、曹金盛等主編·—北京，北京科學技術出版社，1990.

v, 1076頁 ISBN 7-5304-0130-O/R.16

近年以來，略語不斷湧現，爲了適應醫藥衞生事業的發展，編者用去將近六年的時間，遍查國外數百種醫藥雜誌中出現的略語，涉及到基礎醫學、臨床醫學、康復醫學、軍事醫學、藥學、衞生學，及有關邊緣學科的略語和符號，共有42,000餘條。附錄：常用英語醫藥期刊刊名縮寫一覽，並註漢語刊名。

260. **實用醫學詞典**＝*(Practical Medical Dictionary)*

中國醫科大學主編·—北京：人民衞生出版社，1990.

（ 19 ），1313 頁·—（ 包括附錄 ）。

ISBN　7-117-00787-7 /R.788

“ 全書收詞 14,000 條，包括中國醫學、基礎醫學、臨床醫學、預防醫學、中西醫藥學等近50個學科的基本、常用、新湧現的名詞術語”。所收詞目按漢語拼音字母順序排列，附英語對應詞，有定義和注釋。附錄：重要法令、制度摘要。

261.　**現代英漢醫學詞彙**

南京醫學院主編；上海第二醫科大學、西安醫科大學編寫·—北京：人民衞生出版社，1989.

（ 4 ），656 頁·—

“ 本詞彙以新版《 Dorland's Pocket Medical Dictionary 》爲藍本，並參考：《 英漢醫學詞彙 》、《 英漢常用醫學詞彙 》、《 英漢精神病學詞彙 》及《 英漢藥物詞彙 》…並增補了近年來在臨床醫學、藥物、免疫、生化、遺傳、生物物理與超微結構等方面湧現的新詞”編譯而成，共收單詞、詞組、略語與詞素約 60,000 條。

ISBN　7-117-00788-5 /R.789

262.　**漢英醫學大詞典** = *The Chinese-English medical dictionary*.-

漢英、漢法、漢德、漢日、漢俄醫學大詞典編纂委員會・一北京：人民衛生出版社，1987.

（28）1837頁

ISBN 7-117-00474-6/R.475

"收詞14萬餘條。包括祖國醫學、基礎醫學、臨床醫學、預防醫學、康復醫學、醫療器械和中西藥學中的基本詞彙、常用詞彙和最新用詞。主要供應醫藥衛生人員、醫藥院校師生、科研人員、翻譯人員，及外國留學生使用。

263. **英漢最新醫學詞彙**＝*A New English-Chinese dictionary of medical terms.-*

朱燁編・一上海外語教育出版社，1989.

553頁

ISBN 7-81009-262-6/G.055

"收集最新醫藥常用詞彙約30,000 條，其中包括核醫學、分子生物學、電子工程、遺傳學、病毒學、免疫學等邊緣學科的最新詞彙。"

264. **漢英中醫辭典**＝*Chinese-English dictionary of traditional Chinese medicine.-*

歐明主編・一〔香港〕：廣東科技出版社，三聯書店香港分社，1986.

640頁

"1982 年曾出版《漢英常用中醫詞彙》深受歡迎；現進一步充實該書內容，增加詞目的釋義，收中醫基本理論及臨床各科詞目共4,500多條，並附：中藥名稱、方劑名稱及其組成等表。"

265. **德、英、漢醫學辭彙**＝*Deutsch-Englisch-Chinesisches Wörterbuch der Medizin = German-English-Chinese medical dictionary.-*

唐哲、彭明江．—上海科學技術出版社，1984. 881頁

這本辭彙收編醫學詞近20,000 條，選詞力求實用，譯文力求準確。其編排的方法以德語詞為主，詞前有順序號排在第一行，第二行是英語詞，第三行是漢語詞。因此查閱德語詞時，可以同時查到英語及漢語的譯意。為了解決從英語詞查德語詞，從英語詞查漢語詞，從漢語詞查德語詞，從漢語詞查英語詞的問題，書末附編了英語詞字順索引及漢語詞首字音順索引。這樣編排，可以說是我國醫學辭典的新形式，一本辭彙可以起到六種作用。附錄有7種。

266. **德漢醫學常用詞彙**

熊有成等編．—北京：人民衞生出版社，1985.

（ 5 ）708 頁

選收了德語常用醫學和普通詞彙 11,000 餘條（其中包括普通詞彙3,000 條），常用詞組和短語4,000條，共15,000 條，書末有6 個附錄。

267. **簡明日漢醫學詞彙**

董曉一編・—哈爾濱：黑龍江人民出版社，1984.

353 頁

共收編醫學常用詞彙 10,000 條，在每條日語詞彙後面附有英語對譯詞，按五十音圖順序排列。

268. **英漢軍事醫學詞彙**＝ *English-Chinese dictionary of military medicine.*-

金汝煌主編，張卿西、顧杜新、曹金盛等副主編・—上海科學技術出版社，1990.

528 頁

ISBN 7-5323-1090-6/R.282

“軍事醫學隨着武器和醫學科學的發展，幾乎一日千里，新名詞、新術語不斷湧現。國內目前尙缺軍事醫學詞書，於是應運而生。收詞計 40,000 餘條，包括陸、海、空、防原子、防化、防生物戰等醫學及有關學科的詞彙。

269. **英漢雙解精選醫學詞典** = *Concise English-Chinese medical dictionary*.-

祝希媛等譯．—北京：人民衞生出版社，1990.

1,393 頁，有插圖

ISBN 7-117-01398

" 本辭典涉獵的範圍包括：解剖學、心理學、生化學、藥理學及其他主要的內、外科目，有關心理學、精神病學、社會醫學及口腔科等的較新詞彙亦包攬其中。為了容納新增詞目及反映現代醫學的成果，把常見於大型辭典中含糊或過時的詞目，均已刪除。" 收錄 10,000 多個重要醫學名詞及概念，並附簡明插圖。

270. **拉丁漢文醫學詞彙** = *Dictionarium Medicale Latino-Sinicum*.-

謝大任等編．—上海：上海科學技術出版社，1981.

6,728 頁

收詞目約 50,000 餘條，包括拉丁醫學詞滙、語句、拉丁處方用語，拉丁醫學詞滙的前綴和後綴。

271. **日英漢醫學外來語詞典** （附漢文索引）

金同淳等編．—延邊人民出版社，1980.

(3)1,369 頁

搜編醫用外來語詞彙 26,000 餘條（包括一般醫學名詞及生物化學、免疫學、藥物學、試劑、遺傳學等方面的外來語詞彙，其中以源於英語外來語詞彙爲主。也有少量的源於德語、拉丁等等其他語種的外來語詞彙。

272. **醫用縮寫字手册**＝*Current Medical Abbreviations*.- 王茂才編譯．—台北市：茂昌圖書有限公司，1982.

170 頁

273. **英漢醫學略語詞典**＝*English-Chinese dictionary of Medical abbreviations*.- 關勳添等編著．—廣東信宜：廣東科技出版社，1982.

521 頁

以 Harold H. Hughes' Dictionary of abbreviations in medicine and the Health Sciences 爲藍本並參閱了近幾年來各種國內外醫學雜誌，收集了醫藥和有關學科詞條約 25,000 餘條，可供各級臨床醫生、科研、情報、編譯人員及醫學院校師生使用參考。

274. **英漢醫學辭典**＝*An English-Chinese medical dictionary*.-

陳維益等編·—上海科學技術出版社，1981.

1,638 頁

收醫學詞 60,000 餘條，普通詞 10,000 餘條，詞滙較新，作了必要的注釋外還收集了免疫學，遺傳學等方面的詞滙和詞組。

275. **英中醫學辭海**＝ *A Comprehensive English-Chinese Medical Dictionary*.-

王賢才、張明珊等編·—青島出版社，1989.

62,250 頁＋13 頁附錄、挿圖。

“收詞廣博，除醫學基礎和臨床各科術語外，還包括很多與醫學有關的邊緣學科的術語。”美國 Dorland's illustrated medical dictionary 是一部頗享盛譽的大型綜合醫學辭書。編者所收的詞條，“除了從《多蘭氏醫學辭典》移植外，又補充選編了很多條目”來充實這部辭海型的醫學辭書。全書大小挿圖 237 幅。附錄：一、核心期刊目；二、1901～1988 年生理學或醫學諾貝爾獎獲得者及其獲獎項目簡介。

ISBN 7-5436-0380-2/Z.24

(三) 專業辭典

276. *Chromatographie technik*-- Wörterbuch Englisch-Deutsch-Französisch-Russisch/ H.P. Angelé, editor.- VEB Verlag Technik, 1984.
132p.

色層分析法技術詞典——英、德、法、俄四國字典（第2版）

收字彙3,500條。

277. *Dental practice management encyclopedia*/ Carl Michael Caplan.- Tulsa, Okla.: Penn Well, c1985.
x, 269p.: ill.

牙科實踐管理百科全書詞典

（牙科經濟學）包括目錄及索引。按牙科管理最恰當的主題字順編排。適合於學生及開業牙醫。各條敘述長短不一，包括參考及索引。

278. *The Diabetes dictionary*/ prepared by the National Diabetes Information Clearinghouse, National Institute of Arthritis, Diabetes, and Digestive and Kidney Diseases, National Institutes of Health; in cooperation with the American Association of

Diabetes Educators American Diabetes Association, Juvenile Diabetes Foundation International.- Bethesda, Md.: National Diabetes Information Clearinghouse, National Institute of Arthritis, Diabetes, and Digestive and Kidney Diseases, National Institute of Health, 1984.
50p.: ill.

糖尿病字典

有揷圖附名詞釋意的糖尿病字典，有音標。

279. *Dictionary of alcohol use and abuse: Slang, terms and terminology*. Greenwood, 1985.
xvi, 189p. $29.95
ISBN 0-313-24631-9

酒精的使用和濫用字典：行語、名詞、術語

280. *Dictionary of behavior Therapy techniques*/ edited by Alan S. Bellack, Michel Hersen.- N.Y.: Pergamon press, c1985.
x, 235p. (Pergamon general psychology ser. v. 132)

行爲療法技術辭典

簡明的資料把行爲治療之整套技術說得清清楚楚，適於一般臨床非專業人員使用參考。技術分門別類爲一級（ 5 ～ 10 頁）、二級（ 3 ～ 5 頁）或不重要的（1～5頁）。有定義解釋，著錄裏有參考及互見參考資料。附著者索引。

281. *Dictionary of pharmacology*/ Ed. by W.C. Bowman.- Ox.: Blackwell, 1986.
234p.
ISBN 0-63201131-9

藥理學詞典

是一本傳統的字典，主要描述背景圖片。

282. *Dictionary of biomedical acronyms and abbreviation*/ Jacques Dupayrat.- N.Y.: Wiley, c1984.
131p.

生物醫學首字母縮略語及縮寫詞字典

大約有4,000生物醫學首字母縮略語；代表着醫學、生物、及生物化學三個領域。適用於化學、生物、生物化學、初級研究員；醫師和翻譯家。包括極少數的官方首字母縮略語；着重在國際上使用。

283. *A Dictionary of chromatography*/ RC Denney, editor.- N.Y.: Wiley, c1982.
119p.: ill.

色譜學詞典（第2版）

大約有1,000條定義解釋，適合於一般讀者使用。

包括名詞釋義及技術。有506條參考書目。

284. *Stenesh, J. Dictionary of biochemistry & molecular biology*.- 2nd ed.- New York: Wiley, c1989.-
vii, 525p. (Rev. ed. of: Dictionary of biochemistry, 1975.)

生物化學、分子生物學詞典

該書收錄16,000條生物化學，分子生物學的專業名詞和有關學科,如:化學、免疫學、遺傳學、病毒學、生物物理和微生物學等的名詞。還包括略語，同義語、解釋及互見參考。簡化延伸的定義。

285. *A Dictionary of drug abuse term and terminology*/ Ernest L. Abel.- Westport, Conn.: Greenwood Press, 1984.
xi, 187p.

藥物濫用的名詞及術語詞典

包括有關酒精及煙草的一般術語。簡單的定義解釋，詞彙包括相同的名詞。參考目錄。

286. *A dictionary of epidemiology*/ edited by JM Last.- N.Y.: Oxford Univ. Press, 2nd ed. 1988.
114p.
ISBN 0-19-503256-X

流行病學詞典

這是一本國際流行病學協會主編的流行病學綜合詞典，包括常用詞及非常用詞，如：Bio-Statistics、Demography 及 Microbiology、解釋定義、清楚簡練，並附統計、舉例和圖表。編有流行病學的傑出人物傳記概略。這一本流行病學詞典無疑將被同行所重視。

287. *A Dictionary of genetic engineering*/ edited by SG Oliver & JM Ward.- Cambridge; New York: Cambridge University Press, 1985.
v, 153p.: ill.

遺傳工程學詞典

有 500 名詞下了定義；提供這一領域中所用的技術術語以及行話或隱語。在細胞生物學，發育生物學、遺傳、化學工程的工作人員和學生都會感興趣的，同時在商界和政界也會接觸這種新技術。包括插圖。有各種各樣的附錄供參考。

288. *Encyclopedic dictionary of genetics; with German term equivalents and extensive German/* English index.- Ed. by R.C. King & W.D. Stansfield.- Weinheim; New York; Basel; Cambridge, VCH Verlagsgesellschaft, 1990.
809p.

ISBN C-89573-661-6 (VCH, New York)

遺傳學百科辭典

遺傳學和分子生物學發展的迅速確實驚人。新名詞首先出現在英語領域。本書指出德文同義字。

289. *Dictionary of immunology*/ Fred S. Rosen, Lisa A. Steiner, Emil R. Unanue.- London: Macmillan; New York, NY: Stockton Press, 1989.-
xii, 223p.: ill.

免疫學詞典

所收名詞和定義都是來自分子生物學、細胞生物學、遺傳學和免疫學範疇。係專爲免疫學家、臨床醫師、和具有免疫學背景的其他科學家提供的。解釋定義必要時較長。

290. *Dictionary of key words in psychology*/ edited FJ Bruno.- London, Boston: Routledge & Kegan Paul, 1986.
xi, 275p.
Includes indexes.

心理學關鍵詞字典

選擇專業、普及文獻及會話中的新字和新詞。每一條註明定義、舉例、聯絡，那就是長篇文章裏的名詞和成語的解釋。還包括偉人傳記要略。目錄、主題、人名及主題索引。

291. *Dictionary of life sciences*/ edited by EA Martin.- 2nd ed.- New York: Pica Press, 1984.
396p.: ill.

生命科學詞典（第2版）

超過3,000條術語映現出遺傳學、分子生物學、微生物學及免疫學的最新近展。定義釋意。

292. *Dictionary of antibiotics & related substances*/ Ed. by B.W. Bycroft.- New York, N.Y., Chapman & Hall, 1988.
xviii, 944p.: ill.
ISBN 0-412-25450-6

抗生素及其有關物質詞典

“目前已經知道的抗生素物質已逾數千種，在臨床或獸醫方面的應用爲數有限，而它們對保健工作的影響在全世界範圍潛力是巨大的。”

此書脫胎於1982第5版 Dictionary of organic Compounds，編者又增添了大量的新物質使它跟上時代。本書重要的特點是“混合物類型索引”。見277。

293. *The dictionary of minerals: the Complete guide to minerals and mineral therapy*/ compiled and written by L Mervyn.- Wellingborough; New York: Thomsons Pub. Group, 1985.
224p.

礦物字典：礦物與礦物療法指南

是一本礦物、食物、紊亂字典。着重講礦物及礦物療法。目錄。

294. *Dictionary of microbiology & molecular biology*/ Ed by Paul Singleton & Diana Sainsbury.- 2nd ed.- Chichester; New York & etc.: John Wiley & Sons, c1987.
xii, 1019p.: ill.-

微生物學和分子生物學詞典（第2版）

1978年出第一版，爲了跟上近年微生物學的迅速發展，第二版的編製勢在必行。“新版特點有：關於微生物學和密切相關學科的文獻、評論，和專論集的大批參考材料可供讀者利用這些來源優良的參考資料建立自己的參考文獻，並追隨其發展的趨勢。”附參考書目202條。

295. *Dictionary of organic compounds*/ . 5th edition.

First supplement.- executive editor: J. Buckingham.- New York: Chapman and Hall, c1983.
xi, 796p.
Includes index.

有機化合物詞典（第5版，第一補篇）

包括第一次出現的化合物。按化合物名稱字順編排並且註明分子式、參考及分子重量。第一補篇收編截至到1981年出版的參考，有些也是1982年出版的。

296. *Dictionary of radiation protection, radiobiology, and nuclear medicine in four languages: English, German, French, Russian*/ compiled by R Sube.- Amsterdam, New York: Elsevier, 1986, c1985.
475p.
Includes indexes.

放射保護、放射生物學、核醫學英、德、法、俄四國詞典

四種語言混合名詞字典有關放射保護測量技術。主體按英文術語字順排在第一行，德、法、俄術語並列爲二三四行。各種外語均編有索引查照。

297. *Dictionary of rehabilitation medicine*/ edited by HL Kamenetz.- N.Y.: Springer, 1983.
368p. -$21.95.

ISBN 0-8261-3320-7

康復醫學詞典社

這是康復醫學中心比較好的一部字典，著者係美國康復醫學服務中心的領導人 H.L. Kamenetz 。採用分類字順編排，名詞釋意簡練，行話語均有互見參考。由於其編輯完善，不但對醫學圖書館及康復醫院有使用價值，對各種康復程序也很有用。

298. *Dictionary of social welfare.*/ NR Timms.- London: Rautledge and Kegan Paul, 1982.
vi, 217p.-

社會福利詞典

有 500 條術語都是教師、開業者和學生們使用的。每條註明定義解釋詞及參考。

299. *A dictionary of spectroscopy*/ edited by RC Denney. 2nd ed.- Macmillan, 1982.
205p.

光譜學詞典（第 2 版）

300. *Virology: directory & dictionary of animal, bacterial and plant viruses*/ Ed. by Roger Hull, Fred

Brown & Chris Payne.- London: Macmillan Publishers Ltd., 1989.
x, 325p.: ill.-
ISBN C-935859-4

病毒學：動物、細菌和植物病毒指南及詞典

“這是爲了供給病毒學領域裏工作和教學的科學家們有一個便覽詞典。它把病毒的名字與名詞組成它們的高級系統分類廣泛地用於病毒學文獻。

301. *A dictionary of words about alcohol/ edited by M.Keller, et al.*- 2nd ed.- New Brunswick, NJ: Rutgers Center of Alcohol Studies, Rutgers University, 1982.
291p.- $19.50
ISBN 0-911290-12-5

酒精字典（第2版）

第2版中增加了450個新詞，並附200條參考書目。字典發展成爲適於酒精中毒的命名和分類的討論。第2版的字彙正確 、新穎 。每條都註明定義解釋詞，互見參考。

302. *Dictionnaire pratique Français-Anglais Anglais-Français pour les biologistes, les chimistes les médicins/* edited by JG Bieth.- Kovari-Rosenberg,

Flammarion, 1983.
271p.

法英、英法生物學、化學、醫學實用詞典

303. *Elsevier's dictionary of pharmaceutic science and technique in six languages: English-French, Italian-Spanish-German-Latin.*/ A Sliosberg Compiler., N.Y. Elsevier, 1968-80.
2v.
v.1. Pharmaceutical technology, 1968.
v.2. Materia medica, 1980, 552p.-
$122.00.

Elsevier 六國語文製藥學及其技術詞典

六國是英、法、意、西、德、拉。

v.1 製藥技術是 1968 年出版。

v.2 藥物學，特別關係到植物的物質和動物的基原用來爲動物和人類準備藥材。

304. *Emergency care dictionary*/ edited by G Morrow.- Brisbane (Qld.): Brooks, 1983.
83p.: ill.

急救詞典

大約有 2,100 個名詞，簡短的定義及挿圖。

305. *Fay, John. The alcohol/* drug abuse dictionary and encyclopedia/ by John J. Fay.- Springfield, Ill., U.S. A.: Thomas, c1988.-
vii, 167p. Bibliography: p. 165-167.

酒精／藥物濫用詞典及百科全書

術語和較長的定義對行家和非專業人員就像活字彙一樣感到有興趣。“包括對癖嗜者、奸商、警官、法官等人洞察一切。”所收條目是長的、有註解的。同時有需要時舉出實例來。附綜合附錄及目錄。

306. *Encyclopedia of occupational health and safety/* technically edited by Luigi Parmeggiani.- 3rd rev. ed.- Geneva: International Labour Office, 1983.
2v. (xxiv, 2538p.): ill.

職業衛生與安全百科詞典（第3次增訂版）

搜集簽署的論文，按主題編排。是為了世界各國工業衛生防護人員所準備的實用工具。包括200新題目反映出新的知識和發展。每篇論著比較沉長而且附參考資料、插圖、互見參照。編有著者索引及主題索引。v.1: A～K；v.2: L～Z。

307. *The encyclopedia of psychology (New and update)/* Guilford Conn: DPG Reference Publication, c1981.
320p.: ill.

心理學百科詞典（新版增訂）

第1版1973年出版。大約有1,000條附論文用心理學的語言討論理論與實踐。是心理學專業權威人士編輯。包括10幅主題地圖表示心理學研究中的相互關係。很多互見參照，挿圖。

308. *The encyclopedic dictionary of psychology*/ edited by R Harré & R. Lamb.- Cambridge, Mass.: MIT Press, 1983.
718p.: ill.
Includes bibliographies and index.

心理學百科全書詞典

包括傳統心理學術語以及初步學業。也包括傳記條目。每條都相當長,附參考。編委會中有16個在心理學、哲學、生理學界的知名之士。索引。

309. *Environment glossary*/ edited by GW Frick.- 2nd ed.- Government Institute Inc., 1982.
293p.

環境科學詞彙（第2版）

310. *Macmillan dictionary of the environment*/ Ed. by Michael Allaby.-3rd ed.- London, Macmillan press, c1988.

423p. (Macmillan Reference Books)

Macmillan 環境詞典（第3版）

“第一版距今已20多年，1983年第二版，在第三版中增添很多新的詞目。環境影響已經被各國政府和國際有關組織密切注視了。在環境災難 (Environmental disasters)標題下的表格，足資參考。

311. *Enzyme nomenclature, 1984*: recommendations of the Nomenclature Committee of the International Union of Biochemistry on the nomenclature and classification of enzyme-catalysed reactions/ copy prepared for publication by Edwin C. Webb.- Orlando: Published for the International Union of Biochemistry by Academic Press, 1984.
xx, 646p.

酶的命名法，1984

是國際生物化學命名聯合委員會 (IUB) 1978 年命名草案的增訂本。收編了2,477個酶並附分類號，推薦的名字、反應、其他名稱、分類基礎、註釋、參考號碼。分類編排，包括4,478個參考目錄。酶的索引。

312. *Glossary of pesticide toxicology and related terms.*/ N Eesa, et al., editor.- Fresno, CA: Thomson Publications, c1984.

84p.: ill.

農藥毒物學及有關名詞詞彙

收編 600 詞組，每條都下了簡短的定義。殺昆蟲劑在歷史上有效日期列表以明，殺昆蟲劑的標籤表、公制制度的變化，還有毒農藥建議清單。

313. *Macmillan dictionary of toxicology*/ Ed. by Ernest Hodgson, R.B. Mailman & J.E. Chambers.- London & Basingstoke, The Macmillans press, Ltd., 1988.

xv, 395p.: ill.-

ISBN 0-333-39064-4

Macmillan 氏毒物學詞典

"在毒物學文獻中這是一本有用的工具，它對時間、精力和熱情方面獻出巨大的投資恐怕是無可比擬的；但我們意識到它還有未盡完善的地方。"採用美國拼音法，附英文對照。有參考書目。

314. *A glossary of terms used in parapsychology*/ compiled by MA Thalbourne.- London: Heinemann, 1982.

xvi, 90p.

副心理學名詞詞彙

術語的解釋適於該領域中的學生使用。每條定義的解釋也包括字源學的資料和原始的參考資料。很多互見參考。包括目錄和縮寫詞。

315. *Health care reimbursement: a glossary*/ Potomac, Md.: Terry L. Schmidt Inc., c1983.
53p.

保健醫療的保險詞彙

大約有 1,000 條關於保健醫療工業術語參考，特別指償還方面。包括很多首字母縮略語。簡短的定義解釋。附參考。

316. *Illustrated dental terminology*: with Spanish, French, and German correlations/ edited by JH Manhold & M.P. Balbo.- Philadelphia: Lippincott, c1985.
vii, 370p.: ill.

牙科插圖術語詞典

術語包括西班牙、法國及德國的相互關係。所編術語在標準詞典中不易查到。適合於衞生學家、牙醫助理、學生、律師及醫學寫作人。簡明的定義，有很多插圖。

317. *Heinemann dental dictionary*/ 3rd rev. enl. ed. by C.G. & J.E.H. Fairpo.- Heinemann Medical Books, 1987.
422p.

ISBN 0-4331-07-049

Heinemann 牙科詞典（第3版）

用電腦數據庫重新排版，內容略有增刪，對近年來牙科新詞收編不少，全部詞彙8,000餘，並包括有關成像、微生物學、免疫學及藥物等名詞。

318. *Illustrated encyclopedia of dermatology*/ L. Fry, et al. editors.- 2nd ed.- Oradell, N.J.: Medical Economics Books, c1985.
vii, 575p.: ill.

皮膚病學插圖百科詞典

有58條關於皮膚病，着重臨床方面。每一條註明關於先露、鑑別診斷、病因、治療及癒後等情況。很多相片、表及繪圖。

319. *International encyclopedia of psychiatry, psychology, psychoanalysis and neurology*/ edited by BB Wolman.- New York: Aesculapius publishers, c1983.
xxxix, 509p.: ill.

精神病學、心理學、精神分析、神經病學國際百科詞典

收集的資料都是最新發展。大約有140篇論文係由專家撰寫。每篇論都有上10篇參考。姓名索引。

320. *A Dictionary of neuropsychology*/ Ed. by Diana M. Goodwin.- New York: Springer-Verlag, c1989. 325p.

神經心理學詞典

“神經心理學在康復醫學領域中已形成其特點。神經心理學家需要懂得很多方面的知識,如:神經病學、理療學、精神病學,還有與神經心理學有關的常用的心理學測試方面的各種疑問等。”

“這部詞典的目的是提供一個相互對照的參考工具,把名詞、常用醫學略語,疾病、症狀、綜合症、大腦結構和部位,用在神經心理學測試的儀器和神經心理學的特點等編成字順一覽表,以便檢索。”

321. *Longman Dictionary of psychology and psychiatry* ed. by R.M. Goldenson 1984.

Longman's 心理學與精神病學詞典

收編了21,164條精神病學及心理學生詞。打算能概括這兩個領域的詞彙,着重最新名詞與舊名詞的歷史價值。關於定義的解釋經常舉例以明。包括範疇表從 DSM Ⅲ開始,傳記、很多關於神經病學、生理學及醫學名詞。附錄包括 DSM Ⅲ分類、實驗條款、治療條款及其他。

322. *The MacDonald encyclopedia of medicinal plants.*/ R. Chiej, editor.- English translation by S. Mulcahy.- London: MacDonald, 1984.-
447p.: ill.

Macdonald 藥用植物百科詞典

原書名："Piante medicinali" 這是英譯本，描述334種植物按族編，註明一般情況、部份用途、化學合成、特性、使用方式及其他。包括彩色照片、詞彙及索引。

323. *A manual of orthopaedic terminology*/ edited by CT Blauvelt & FRT Nelson.-3rd ed.- St. Louis: Mosby, 1985.
xiii, 304p.: ill.

矯形外科學術語手册（第3版）

書分12章按主題編排，對矯形外科學的術語作簡短的釋意。專門爲矯形外科的護士、秘書、技術員和醫師使用的。最新的術語。有各種各樣的附錄、目錄及索引。

324. *Medicinal plants of China*/ edited by JA Duke & ES Ayensu.- Algonac, Mich.: Reference Publications, 1985.
2v. (705p.): ill.

中國藥用植物詞典

此書係“世界藥用植物叢書”第四册。按植物的學科名詞字順編排。供生物學家、化學家及有興趣的人當作中國藥用植物指南應用。每條註明其普通名稱、用途、化學及附註。並有草圖。

325. *Milchkundliches speisen-Lexikon*/ edited by M. Schulz.- Volkswirt-Schaftlicher Velag, 1981.
827p.

含奶食品與奶製品詞典

收編德文詞彙 4,100 條。

326. *Multilingual dictionary of narcotic drugs and psychotropic substances under international control = Dictionnaire multilingue des stupéfiants et des substances psychotropes placés sous contröle international*/ New York: United Nations, 1983.
xxv, 347p.: ill.

在國際控制下的麻醉藥品及影響精神的物質多種語文詞典

書中用六種（阿拉伯文、中文、英文、法文、俄文及西班牙文）編寫。書中論著按照國際非專賣的藥物物質英文名詞字順編排。每條均有描述。名稱互見索引。有阿、中、俄名稱字順清單。

327. *Mykologisches wörterbuch in 8 sprachen*/ edited by K. Berger.- 2. Auflage.- Jena; Fischer, 1980.
432p.

八國語種的眞菌學詞典（第2版）

收編3,200個詞並譯成德、英、法、西、拉、捷、波、俄八國文字。

328. *Pharmacological and chemical synonyms: a collection of names of drugs, pesticides and other compounds drawn from the medical literature of the world*/ compiled by EEJ Marler.- 8th ed.- Amsterdam; New York: Elsevier; New York, NY: Sole distributors for the USA and Canada, Elsevier Science Pub. Co., 1990.
viii, 562p.

藥物與化學同義詞字典（第9版）

字順名單有非專賣的藥品名單、農藥及其他藥物或化學物質。交叉的非專賣藥物的名稱、商品名及研究編號均有互見參考。國際範圍。美國字拼法。

329. *The Prentice-Hall dictionary of nutrition and health*/ edited by K. Anderson & L. Harmon.- Englewood Cliffs, N.J.: Prentice-Hall, c1985.
xii, 257p.

Prentice-Hall 營養與健康詞典

專供衞生專業及非正式人員使用。附錄有多種表格。

330. *Thesaurus of psychological index terms*/ 4th ed.- Washington, D.C. American Psychological Association, c1985.
v, 263p.

心理學索引名詞寶庫（第 4 版）

從心理學文獻選出心理學名詞 4,534 條。狹的和寬的名詞都有互見參考。每一個明確的目錄名詞在16個主要範疇表及64付範疇表中都列入。也包括名詞字順表。

331. *Encyclopedic dictionary of sports medicine*/ Ed. by David F. Tver & H.F. Hunt.- N.Y.: Chapman & Hall, c1986.
232p.
ISBN 0-412-01361-4

運動醫學百科詞典

這一本附有揷圖，爲快速參考提供及時、可靠而準確的運動醫學參考詞典。

㈣ 英漢醫學專業詞典

332. **拉英漢昆蟲名稱**

中國科學院動物研究所業務處編．—北京：科學出版社，1983.

v,911p.

收集昆蟲拉丁學名 18,000 條，並有英文俗名和漢名對照。包括我國常見的種、類及美洲、歐洲和非洲的部份昆蟲種類的目、科、屬、種。對一些沿用的同物撰名，原則上挑選一些主要的收列入內。書末附有英文俗名和漢名索引。

333. **英漢環境科學詞彙**＝*An English-Chinese dictionary of environmental sciences.*

中國環境科學研究院主編．— 1981.

870 頁

收詞包括有關環境化學、環境物理、環境氣象、環境地質、環境生物、環境生態、環境工程、環境醫學、環境管理、環境經濟、國土經濟以及環境監測等專業詞彙共 45,000 餘條。

334. **德漢環境科學詞彙**＝*Deutch-Chinesisches Fachwörterbuch fur Umwelt-wiswenschaft.*

李一民、龍正智合編·—北京：中國環境科學出版社，1990.

713 頁

ISBN 7-80010-409-5/X.233

本詞彙收環境科學各方面的專業常用和略語詞約35,000 條，詞條力求實用，詞義力求準確。

335. **英漢生物化學詞典**＝*English-Chinese dictionary of biochemistry.-*

馮宋明主編·—北京：科學出版社，1983.

1v,998 頁

收集生物化學以及與生物化學密切相關的化學，免疫學、遺傳學、病毒學、生物物理學、微生物學、和醫藥方面的名詞約 12,000 條並附簡明的譯義。附漢名索引。

336. **英漢生物學詞彙**＝*English-Chinese biological dictionary*

北京師範大學生物系主編·—1983.

v,1,171 頁

收動物學、植物學、微生物學、遺傳學、細胞學、生物化學、生物物理學、分子生物學以及生態學等科學名詞約 80,000 條。書末附化學元素表、度量衡表、希臘字母表。可供大專院校生物系師生、生物學各專業科技人員以及有關情報資料和翻譯工作者參考。

337. **英漢細胞遺傳學詞彙**（第二版）＝*English-Chinese dictionary of cytology and genetics*

夏敬娥、張士琦合編．—北京：科學出版社，1982.

iii,212 頁

收編有關詞彙約 13,000 條。此書係根據 1965 年英漢細胞學詞彙及 1966 年出版的英漢遺傳學兩書的基礎上增訂擴充而成。

338. **英漢遺傳學與細胞遺傳學詞典**＝*Glossary of genetics and cytogenetics classical and molecular*/ by R. Rieger, A. Michaelis, M. M. Green.

呂寶忠、周才一等編譯．—上海科學技術出版社，1988。

678 頁，有插圖。

ISBN 7-5323-0568-6/Q.13

在遺傳學方面工具書不多。這本詞典是根據英文版第四版作了全面修訂，並增加了近年來在遺傳學和分子遺傳學方面許多新詞彙，總計收詞 3,380 餘條，100 幅插圖，8 個表解。

339. **日英漢藥學詞彙＝** *Japanese-English-Chinese dictionary of pharmaceutical terms/*

紀有恒主編·—北京：化學工業出版社，1989.

1,715頁

ISBN 7-5025-0646-2/H.11

“近20年來，藥學科技發展迅速，國外藥物品種劑型、規格、活性成分日趨繁多，新詞術語也層出不窮，編者遍覽國外近年期刊、雜誌、專著以及《日本藥局方》、《藥學大事典》、《分析化學詞典》、《理化學詞典》等，收詞 45,000 條。詞彙正文以日文爲主，日英漢三種對照。附英漢索引，以便檢索。

340. **英漢藥學詞彙**

南京藥學院編·—北京：人民衞生出版社，1984.

〔2〕389頁（封面：*English-Chinese glossary of Pharmacy*

收編有關藥學詞彙約 30,000 條，按英語字母順序排列，詞彙中的數字、符號、希臘字母或化學詞縮寫等排列時均不計。

341. **英漢醫療器材與生物醫學工程學詞彙**

方軍編·—北京：人民衞生出版社，1985.

〔3〕606頁

收專業詞目40,000餘條，按英文單詞順序排。附常用專業縮略語3,000條，供讀者查閱參考。

342. **英漢組織學、胚胎學詞彙**＝ *English-Chinese dictionary of histology & embryology*.-

區偉乾編訂·—北京：科學出版社，1984.

iv,224頁

收編有關詞條14,000。

343. **英日漢環境科學詞彙**＝ *An English-Japanese-Chinese dictionary of environmental sciences*.-

中國環境科學研究院編·—1985.

2,192頁

收詞 50,000 餘條，一律按英文字母順序排列；先英文、日文，再中文。續篇有日文索引部份。

344. **英漢營養科學詞典**＝ *English-Chinese dictionary of nutrition Science*.

隨志仁主編·—北京：中國食品出版社，1989.

896頁，有表格

ISBN 7-80044-194-6/TS.195

" 共收詞條7,000餘，涉及到營養生理、營養生化與遺傳、營養免疫、食品營養、公共營養、臨床營養、食品衞生、食品化學、食品微生物，以及食品資源等方面的基本詞彙。”附錄計十三項，足資參考。它的出版填補了我國營養科學工具書的一項空白。

345. **生理學名詞辭典**＝ *English-Chinese dictionary of physiology.*/

張仁武編譯．—台北：五洲出版社，1989.

351頁

收編生理學及與生理學有關連的學科詞彙及詞組約 12,000 餘條。書後附生理學常用詞首、詞尾、略語及計量單位四種附錄。

八、醫學百科全書

醫學百科全書各國出版家編印不少，經驗證明我國醫學圖書館所收藏的外文醫學百科全書，使用率確實不高，甚至可說，幾乎無人問津；推究其原因，可能是這樣：語文隔閡，醫學本科生不能閱讀，老師會嫌其淺薄；國外書商有鑒於此，改變出版形式，將大部頭的醫學百科全書採用活頁裝訂，隨時更換其內容章節，以保持其學術內容與時代並進，綠葉長青。現在僅就經驗所及介紹幾種：

346. *Clinical medicine*/ Philadelphia: Harper & Row, c1982.- 12vs & Index.- Loose-leaf fromat.

臨床醫學大全（活頁版）

此書係 Harper & Row 繼《Practice of Medicine》之後又一新書。爲了讓臨床醫師能夠隨時看到診斷與治療方面的最新資料，該書採用活頁版本。各專題均由專家執筆，資料經常更新。出版商對購書人的姓名、單位、地址留有記錄，新的章節著述一經出版，就及時寄出，並附通知說明這一章是代替原來的哪一章請予更換。這種出版方式，可使一大部頭圖書保持其生命之樹常綠，值得推薦。目次如下：

卷 一 ：臨床技巧、原理及處理方法。實驗室診斷。

卷 二 ：傳染病（上）。

卷 三 ：傳染病（下）。皮膚病。

卷 四 ：變態反應與免疫學。風濕病學。

卷 五 ：血液學。肺病。

卷 六 ：心血管疾病。

卷 七 ：腎臟病學。高血壓。

卷八/九：內分泌學/代謝。營養。

卷 十 ：胃腸病學。

卷十一：經神病學。

卷十二：環境與職業醫學。精神病學。

總索引一卷

347. *Handbuch der inneren Medizin*/ L. Mohr & R. Staehelin.- 5. Aufl.- Berlin, Springer, 1968.-

德國內科學大全（第5版）

這是德國內科學經典著作，新版第5版係由德國著名的醫學出版商 Springer 從 1968 開始出書，直到 1987 年，尚未全部出齊；計分8卷，每卷又分若干分冊。值得提出的是，在70年代德國出版商就注意到英語已成爲世界各國的普遍語文工具，因此他們在很多德文科技雜誌裏，鼓勵作者用英文撰寫文章。《德國內科學大全》主要是用德文，但是在卷3，第一分册；卷4，第2分册；卷7，第二分册A和B都是用英文撰寫的。後附詳細目次：

第2卷：血液和血液病

第1分册：一般血液學和紅細胞系統的生理病理學

第2分册：紅細胞系統的臨床

第3分册：白細胞和網狀細胞系統Ⅰ

第4分册：白細胞和網狀細胞系統Ⅱ

第5分册：淋巴系統疾病

第6分册：白血病

第3卷：消化器官

第1分册：食管疾病（用英文編寫）

第2分册：胃

第3A分册：小腸A

第3B分册：小腸B

第6分册：胰腺

第4卷：呼吸器官疾病

第1分册：塵肺

第2分册：支氣管炎、哮喘、肺氣腫（用英文編寫）

第3分册：肺結核

第6卷：骨、關節與肌肉疾病

第1A分册：臨床骨骼學A

第1B分册：臨床骨骼學B

第2A分册：風濕病學A

第2C分册：風濕病學C

第7卷：代謝性疾病

第1分册：碳水化合物、氨基酸和蛋白質代謝的遺傳缺陷。

第2A分册：糖尿病A（用英文縮寫）

第2B分册：糖尿病B（用英文縮寫）

第3分册：痛風

348. *The American Medical Association Encyclopedia of medicine/ Ed. by Charles B. Clayman*.- New York: Random House, c1989.
1184p.: ill.
ISBN 0-394-56528-2

美國醫學會醫學百科辭典

當代醫學科學進展迅速，技術先進，治療方法新穎。新生藥物也大大地提高了療效。人們對自身的健康不但要明白錯在那裏，還要懂得怎樣選擇治療的方法，"美國醫學會所編的醫學百科辭典是來幫助人們懂得醫學語言。它採用簡明的解釋，對身體各部器官的運轉採用彩色圖解，同時還把一般疾病做了詳細的報導，普及醫學知識，企圖使人們用它保住健康。”有三種附錄：自助組織通訊錄；藥物滙篇及索引。

第4分册：脂肪代謝

第8卷：腎臟疾病

第9卷：心臟和循環

第1分册：心律失常

第3分册：冠狀動脈疾病

349. *Physics in medicine & biology encyclopedia: Medical physics, bio-engineering and biophysics*/ T.F. Mc-Ainsk, editor.- Oxford: Pergamon Press, 1986.
2v.: ill.

醫學物理學與生物學百科全書

這是一本醫學物理學、生物工程和生物物理學百科全書；它不是一本訓練用書也不是一本教科書，爲此它有廣泛的讀者，使之成爲百科全書。所編的詞彙適於物理科學的學生和實踐者之用而這些人是缺乏解剖學、生理學和病理學的。附索引。

九、藥典及其輔助工具書

藥典是用以記載藥品標準的典籍。一般由政府主持編纂，頒布施行。我國藥典收載療效肯定的中西藥品和製劑，並規定其標準規格和檢驗方法，作爲藥品生產、檢驗、供應、使用和管理的依據。我國最早的藥典是唐代的《新修本草》（公元659年），國外最早的是西德的紐倫堡藥典（1546）。歐美各國基本上是5～7年才修訂一次。玆就目前資料所及，從國際、歐洲、英、德、法、日、俄、美等國資料編寫於次：

350. *The International Pharmacopoeia*/ 3rd ed.- Geneva, WHO, 1979-1981.

2v.

v.1: General methods of analysis, 1979.

v.2: Quality specifications, 1918.

國際藥典

是世界衞生組織編輯出版的，分英、法、西、德、日等國文本。v.1: 分析方法 v.2: 質量規格。1973、1975、1977、1978 均有補篇。

351. *International Nonproprietary names* (INN)/ Geneva, WHO, 1975. (Report series no. 581)

國際未經特許藥物名單

世界衞生組織編輯發行。這些藥物雖未經特許，但已在國際上使用了。

352. *European Pharmacopoeia 1980-1985* / Council of Europe.- 2nd ed.- Sainte-Ruffine (France), Maisonneuve, 1980-86.
Looseleaf.

歐洲藥典

包括：英、比、法、意、盧森堡、荷蘭、西德及瑞士八國。補篇又增添：澳大利亞、塞普魯斯、丹麥、冰島、愛爾蘭、挪威及瑞典共十五國。第二版係用活葉形式印刷。

353. *The Pharmacopoeia Helvetica*/ 7th ed. 1985.

瑞士藥典

第六版係 1971 年發行。活頁，採用法、德、意三種語文編寫。附 Hp 指示劑的彩色圖。

354. *British Pharmacopoeia 1988*/ Effective date: 1 Decem-

ber 1988.- London, Her Majesty's Stationary Office, 1988.

2v.

ISBN 0-11-320837-5

英國藥典

新版收 2,100 篇論著彙篇，1988 年 12 月 1 日生效。其中 495 篇是引自《歐洲藥典》。收編論著滙篇可以說是英國藥典的新猷。

355. *British Pharmacopoeia 1980: Infra Red Reference Spectra*/ British Pharmacopoeia Companion volume.- Rittenhouse: Pharmaceutical Pr., 1980. $110.-- (ISBN 0-11-320303-9)

英國藥典：紅外線參考光譜

此係英國藥典的姊妹篇。

356. *British Pharmacopoeia: Infra-Red Reference Spectra/ Supplement 3*.- Rittenhouse: Pharmaceutical Press, 1984. $15.-- (ISBN 0-11-320792-0)

英國藥典：紅外線參考光譜第三補篇

357. *British National Formulary* (BNF) 1981/ London: British Medical Association, 1981.

英國處方手册

附分子式及臨床使用說明。

358. *British Pharmacopoeia (Veterinary) 1985*/ London: H.M.S.O., 1985.
xix, 213, 204p.: ill.

英國藥典：獸醫篇

生效日期爲 1985 年 9 月 1 日。提供有關獸醫及藥品的綜合信息於一卷之中。分 7 章，專題論著按醫藥順序編排。再分藥材、分子式及免疫藥物。有很多附表及索引。有捕頁勘誤表。

359. *Martindale's Extra Pharmacopoeia*/ 28th ed.- Rittenhouse: Pharmaceutical Press, 1982.
2050p. $130.-- (ISBN 0-85369-160-6)

馬丁戴爾氏額外的藥典（第 28 版）

1883 年創刊，對藥物作簡要的介紹。1977 年發行第27版，重點介紹：澳、拿、法、德、日、南非、、瑞典及美國藥物情況。提供最新信息及藥物使用方法。包括法定、非法定或成藥。第一部份有 3,990 篇專題論著，按字順編排，每篇專著包括藥名（附法定名稱）、同義詞；分子式及分子重量；外國藥物可求的名單；劑量、兒童用量；藥物特徵的描述；依賴性；逆反應；解毒藥；預防、吸收及死亡等。第二部份是短篇專著1,120篇，並附各種各樣的藥物。第三部份是英國人慣用的 900 種藥物。這無疑是一本好書。

360. *Australian Drug Compendium.*

澳大利亞藥物簡編

包括藥物 5,000 餘種。用意大利和英文編寫。

361. *Deutsches Arzneibuch (DAB)*/ 8. Ausgabe 1978. Supplement 1980.

德國藥典 1980 年補篇（第 8 版）

第 7 版 1973 年發行。第 8 版分西德與東德兩種版本。藥品按拉丁名稱編排，包括檢驗方法、試劑及藥品。

362. *Pharmacopée Française*/ 10th ed. Paris, n.d. Looseleaf format.

法國藥典（第 10 版）

第 9 版 1972 年發行。收錄前版未列的藥物，分兩部，均按規定部位及藥物各論編排。

363. *Formulaire National; Complément a la Pharmacopée*

Française.- Paris, 1973.
278p.

法國國家藥局方

係法國藥典的補篇，收104種製劑的規格標準，包括鑑別、含量、測定、應用、劑量及製劑配方等。

364. *The Pharmacopoeia of Japan/ 10*th ed. Tokyo: Society of Japanese Pharmacopoeia; Distributed by Yakuji Nippon, Ltd., 1982.
17, 1360p.: ill.

日本藥典（第10版）

根據 " Nippon yakkyokuho " 譯成英文，專供國外人士使用。第一部份常用基本藥物，第二部份包括成藥、家庭用的生藥、疫苗、血清製劑以及藥物製劑。包括預備的材料及索引。

365. *Japan pharmaceutical reference: (J.P.R.) administration and products in Japan/* [supervised by Pharmaceutical Affairs Bureau Ministry of Health & Welfare].-- 1st ed. (1989-1990). Tokyo, Pharmaceutical, Medical & Dental Supply to Exporters' Association, c1989.-
v. ill. Published in collaboration with the Japan Pharmaceutical Manufactures Association.

日本製藥參考

“日本製藥工業把標準權威和衞生醫療專業用英文編寫出版,成爲繼美國之後的世界第二最大的製藥工業。”把日本藥物管理分成三組:推廣合乎規格藥品的實驗編碼和產品信息，第三組包括在日本銷售的包裝產品、日本公司地址名單、牌號、名稱及不註册名稱索引。

366. **新開發醫藥品便覽**

堀岡正義、福室愚治・—第 2 版・—藥業時報社，1987.

997 p.（日文）

新藥手册（第 2 版）

本手册共收藥品 437 種。這些藥品是經日本中央藥事審議會常任部會與醫藥特別部審查通過的。凡市上出售的藥品已全部收入本手册中。附日文藥名及英文藥名索引，以及各公司製品索引。

367. *The State Pharmacopoeia of the Union of Soviet* Socialist Republics/ 10th ed.- Moscow, The USSR Ministry of Public Health, n.d.
980p.

蘇聯國家藥典（第 10 版）

1866 年發行第一版，第十版未注出版年代，估計可能在 1973 年。增添了有關一般藥物測定方法及用藥劑量等幾個章節。

368. *USP (U.S. Pharmacopoeia) XXII (22nd revision) NF (The National Formulary) XVII (17th ed.)*/ Official from January 1, 1990.- Rockville, MD, U.S. Pharmacopoeial Convention, Inc., c1989.
liv, 2067p.
ISBN 0-913595-37-3 (cloth)

美國藥典 22 版、美國國家藥品集 17 版

這部藥典已經出版了 5 年，這是合併後的第 3 次修訂本。在 1985-1990 增訂期間，總共有 420 新彙篇收入；藥典 389 ，藥品集 31 。總共註銷了 173 篇專題論文。本藥典展示了 254 篇新彙篇。特色是動物試驗和抗生素等。卷尾附聯合索引。

附藥典補篇：

369. *USP (U.S. Pharmacopoeia) XXII and NF (The National Formulary) XVII.*
Supplement 1 (Official January 1, 1990)
Supplement 2 (Official May 15, 1990)
Rockville, The U.S. Pharmacopoeial Convention, Inc., 1989-1990.

2v.
ISBN 0195-7996

370. *USP DI 1988 (8th edition)*.- Rockville, MD, U.S. Pharmacopoeial Convention, Inc., c1988.

v. IA & B: Drug information for the health care professional. ISBN 0-913595-26-8
xxxiv, 1302 + 2516 ISBN 0-913595-27-6

v. II: Advice for the patient: drug information in lay language.
xxii, 1321p.: ill.- ISBN 0-913595-28-4

v. III: Approved drug products & Legal requirements.
xxiii, I/ - VII/ 17p. ISBN 0-913595-49-7

美國藥典、藥物情報 1988（第 8 版）

v. Ⅰ 分A、B兩冊，是保健醫療專業的藥物情報，由藥名字順編排，B冊書末附索引，出版雙月刊，讓情報保持新穎入時。

v. Ⅱ 向病員建議：用普通語言作藥物情報。書末有索引，出版雙月刊使訊息及時。

v. Ⅲ 批准的藥物製品及規定要求。有索引，出版月刊 12 期。另有書一冊。

371. *USAN and the USP dictionary of drug names 1990 (27th ed)*/ Rockville, MD, U.S. Pharmacopoeial Convention, Inc., c1989.

761p.: ill.-
ISBN 0-913595-40-3

美國選訂藥名與美國藥典：藥名詞典 1990（第 27 版）

從 1961 年 6 月 15 日到 1989 年 6 月 15 日，把現代美國藥典與國家藥品集的藥品名稱，和其他非專賣藥品名稱，作了選擇和註銷，編輯了這樣一本《美國選訂藥品名册》。這是一本美國標準藥品名稱目錄。它取代了 1989 年和以前所有版次的書。

收集了 25,000 條藥名，5,700 多商標名稱；3,286 法定名稱（包括 379 NSC 號）還有 8,358 條是 CAS 登記號。總計美國選訂藥名於此是 2,687 。

372. *American drug index 1989*/ 33rd ed.- Ed. by Norman F. Billups & Shirley M. Billups, Associate ed.- Lippincott, Facts & Comparisons, c1989.
ix, 749p.
ISBN 0-932686-26-5

美國藥物索引 1989（第 33 版）

這是“美國藥典”的輔助工具書，專供人們從商品名查藥名的。新版的美國藥典22版、美國國家藥品集17版中的專題論文滙篇與美國藥物索引33版配合起來使用，則是一本完整而有價值的參考工具。

373. *Current drug handbook 1984-1986*/ Ed. by H.R. Patterson et al.- Philadelphia: Saunders, c1984.
283p.
ISBN 0-7216-1223-7

當代藥物手冊 1984～1986

編印及時，按分類編排。書末附藥物名稱字順索引。

374. *AMA Drug Evaluations (AMA-DE)*/ Prepared by The AMA Division of Drugs in cooperation with The American Society for Clinical Pharmacology & Therapeutics.- 5th ed.- Philadelphia: Saunders, 1983.
xxii, 1884p.

美國醫學會藥物評論手冊（第5版）

此書第一版係1971年發行，1980年第四版時，就再版四次，是一本藥物學的著名參考書，它能及時地向醫藥工作者提供最新的藥物學情報。

本書按藥物在治療上的作用分類敘述的，對每一種藥物作了簡單的評價。並附藥物化學分子結構、用途、劑量、給藥途徑、配方等。對任何一種藥物在標注普通藥名的同時，還附商品名稱以供參考。藥品名稱字順索引用彩色紙印出，較爲醒目。

375. *The Merck index: an encyclopedia of chemicals, drugs and biologicals*.- Ed. by Susan Budavari & Maryadale J. O'Neil.- 11th ed.- Rahway, NJ, Merck & Co., 1989.

Merck 索引（第11版）

1889 年一版問世，現在正值百年紀念。第十一新版仍按傳統習慣，以一卷册的方式爲化學家、藥學家、醫師和其他專業人員服務。在愛滋病和癌症方面增添了新的條目。這一版是一個治療的範疇，和生物活動的索引,同時也是引導讀者涉獵藥物專著的入口點。

376. *Multilingual Dictionary of Narcotic Drugs & Psychotropic Substances under International Control* = Dictionnaire multilingue des stupefiants et des substances psychotropes places souo controle international/ N.Y.: United Nations, 1983.
xxv, 347p.: ill.

多種語言國際控制的麻醉藥物及影響精神的物質詞典

用阿拉伯文、中文、英文、法文、俄文及西班牙文編寫。專著論文按國際非專賣藥品名稱的英文字母順序編排。每條均有描述，有互見藥名索引及阿拉伯文、中文、俄文藥名的字順表。

377. *De Haen's Combination Drugs Index*/ Englewood, Co.:

Paul de Haen International, Inc., c1984.

De Haen 氏合成藥物索引

這是一本綜合性的索引，包括過去30年來在美國使用的合成藥物。資料來源是根據 1954 年 De Haen 版的《New Product Survey》(新藥鑒定)一書。停止生產的藥物也包含着歷史的意義。有兩節是關於製造廠的。每一項目均詳註專賣名稱、製造廠商、治療用途及年度行情。第一卷封面："合成藥物索引"，已絕版。全書包括 1954 ～ 1983 年的評論。

378. *Pharmacological & Chemical Synonyms: a collection of Names of Drugs, Pesticides and Other Compounds drawn from the Medical Literature of the World*/ Compiled by EEJ Marler.- 8th ed.- Amsterdam; N.Y.: Eslevier, 1990.
viii, 562p.

藥物及化合物的同義語（第9版）

按非專賣藥物名稱、農藥及其他藥用物質或化學成份排列。很多互見參照，如：非專賣藥品名稱、商品名稱及研究代號。是國際範圍的，採用美國拼法。雖然是綜合性的，但不是官方編纂的。

379. *The MacDonald Encyclopedia of Medicinal Plants*/

Roberto Chiej; English translation by Sylvia Mulcahy.- London: Macdonald, 1984.
447p.: ill. Includes Index.

Mac Donald 氏藥用植物圖鑑

該書原名爲 "Piante Medicinali"。此係英譯本，描述334種藥用植物，詳注類屬、情況、用途、化學合成、特性，使用方法及其他。每一項目，均有彩色照片，詞彙表及索引。

380. *Medicinal Plants of China*/ James A. Duke & Edward S Ayensu.- Algonac, Mich.: Reference Publications, 1985.-
2v. (705p).: ill.- (Medicinal Plants of the World Ser. No. 4)

中國藥用植物圖譜

包括索引及目錄 p. 660 ～ 672。按植物學科名稱編排。專供生物學家、化學家及一般人士對中國藥用植物資源及其使用有所了解。項目中註明普通名稱、用途及化學成分等，並附草圖。

381. *Medicinal Plants of North Africa*/ Loutfy Boulos.- Algonac, Mich.: Reference Publications, 1983.
286p.: ill (Medicinal Plants of the world)

北非藥用植物圖鑑

這是世界藥用植物叢書之一。描述 369 種土生土長的、風土化的、栽培的97個族種的北非植物。是群衆與現代醫學溝通的橋樑。按族種名稱字順編排，每一條目均用阿拉伯文、柏柏爾文、英文及法文註明種名、地方病的名稱、生長區域、用途。並用號碼指示目錄的引文。附 103 張銅版圖、語彙、目錄及索引。

十、附　錄

㈠ 醫學各科外文核心著作選目

醫科大學的老師們，因教學、醫療及科研工作的需要，經常需要翻閱各科核心著作；在醫科大學圖書館連續工作將近四十年期間，不斷聽到老師們的這種建議，希望圖書館能把中外文各科核心著作集中起來，陳列於一室之中，讓老師們能有隨時翻閱之便。我們也深切了解這一建議的的重要性，但由於諸多原因，始終未能實現。

茲就編寫本書之便，參考Alfred N. Brandon和我1935年在文華上學時的老師Dorothy R. Hill在《BULLETIN OF MEDICAL LIBRARY ASSOCIATION》上，多次發表了醫學各科核心書刊選目，把精選書刊工作，當成終身職責，值得敬佩。現在參考他們在 1989 年四月和 1990 年七月，分別在該刊 77 卷 2 期和 78 卷 3 期所發表的兩篇文獻，精選了醫學各科外文核心著作書目，按照我們醫學內容分為：預防醫學及公共衛生學、基礎醫學和臨牀醫學三大類，分列於次，以供參考。

(1) 預防醫學與公共衛生學

382. ALLIED HEALTH（保健）

Farber, Norman E. et al. eds.
Allied health education: concepts, organization and administration. Springfield, Ill., Thomas, 1989.

Hopp, Joyce W. & Rogers, Elizabeth A.
AIDS and the allied health professions. Philadelphia, Davis, 1989.

Institute of Medicine. Committee to Study the Role of Allied Health Personnel.
Allied health services: avoiding crises. Washington, D.C., National Academy Press, 1989.

383. PREVENTIVE MEDICINE & PUBLIC HEALTH （預防醫學與公共衛生學）

Grant, Murray.
Handbook of community health. 4th ed. Philadelphia, Les & Febiger, 1987.

Hanlon, John Joseph & Pickett, George E.
Public health: administration and practice. 9th ed. St. Louis, Mosby, 1989.

Last, John M. et al. eds.
Maxcy-Rosenau public health and preventive medicine. 12th ed. Norwalk, Conn., Appleton & Lange, 1986.

(2) 基礎醫學

384. ANATOMY & PHYSIOLOGY（解剖學與生理學）

Di Fiore, Mariano S.H.
Atlas of normal histology. Ed by Victor P. Eroschenko. 6th ed.- Philadelphia, Lea & Febiger, 1989.

Gray, Henry.
Anatomy of the human body. 30th American ed. Ed by Carmine D. Clemente. Philadelphia, Lea & Febiger, 1985.

Jacob, Stanley W. & Francone, Clarice A.
Elements of anatomy and physiology. 2d ed. Philadelphia, Saunders, 1989.

Kelly, Douglas E. & et al.
Bailey's textbook of microscopic anatomy. 19th ed Baltimore, Williams & Wilkins, 1989.

McMinn, R.M.H. & Hutchings, R.T.
Color atlas of human anatomy. 2nd ed. Chicago, Year Book, 1988.

Tortora, Gerard J. & Anagnostakos, Nicholas Peter.
Principles of anatomy and physiology. 6th ed.- Philadelphia, Harper & Row, 1990.

385. BIOCHEMISTRY & CHEMISTRY（生物化學與化學）

Kaplan, Lawrence A. & Pesce, Amadeo J.
Clinical chemistry: theory, analysis and correlation. 2nd ed.- St. Louis, Mosby, 1989.

Sackheim, George I. & Lehman, Dennis D.

Chemistry for the health science. 6th ed.- N.Y., Macmillan, 1990.

Stryer, Lubert.
Biochemistry. 3rd ed.- San Francisco, Freeman, 1988.

BLOOD BANKING see HEMATOLOGY

386. DIETETICS & NUTRITION（飲食學與營養學）

National Research Council. Committee on Dietary Allowances.
Recommended dietary allowances. 10th ed. Wash. D.C., National Academy of Sciences, 1989.

Shils, Maurice E. & Young, Vernon R. eds.
Modern nutrition in health and disease. 7th ed. Philadelphia, Lea & Febiger, 1988.

Townsend, Carolynn E.
Nutrition and diet therapy. 5th ed. Albany, N.Y., Delmar, 1989.

387. ENDOCRINOLOGY & METABOLISM（內分泌與代謝）

DeGroot, Leslie J. et al. eds.
Endocrinology. 2nd ed.- Philadelphia, Saunders, 1989. 3v.

Greenspan, Francis S. & Forsham, Peter H. eds.
Basic and clinical endocrinology. 3rd ed.- Norwalk, Conn., Appleton & Lange, 1989.

388. ETHICS（醫德）

Beauchamp, Tom L. & Childress, James F.
Principles of biomedical ethics. 3rd ed.- N.Y.,

Oxford Univ. Press, 1989.

Monagle, John F. & Thomasma, David C. eds.
Medical ethics: a guide for health professionals. Rockville, Md., Aspen, 1988.

389. GENETICS(遺傳學)

Scriver, Charles R. et al. eds.
The Metabolic basis of inherited disease. 6th ed.- N.Y., McGraw-Hill, 1989.

Thompson, James S. & Thompson, Margaret W.
Genetics in medicine. 4th ed.- Philadelphia, Saunders, 1986.

390. HEMATOLOGY (血液學)

American Association of Blood Banks.
Technical manual of the American Association of blood banks. 10th ed / Ed by Richard H. Walker.- Arlington, Va., American Association of Blood Banks, 1990.

Harmening, Denise et al. eds.
Modern blood banking and transfusion practices. 2nd ed.- Philadelphia, Davis, 1998.

Lee, G. Richard et al eds.
Wintrobe's clinical hematology. 9th ed.- Philadelphia, Lea & Febiger, 1990.

Powers, Lawrence W.
Diagnostic hematology: clinical and technical principles.- St. Louis, Mosby, 1989.

391. HISTOLOGY（組織學）

Bancroft, John D. & Stevens, Alan.
Theory and practice of histological techniques. 3rd ed.. N.Y., Churchill Livingstone, 1990.

Leeson, Thomas S. et al.
Text/atlas of histology. Philadelphia, Saunders, 1988.

392. IMMUNOLOGY & SEROLOGY（免疫學與血清學）

Barrett, James T.
Textbook of immunology: an introduction to immunochemistry and immunobiology. 5th ed.- St. Louis, Mosby, 1988.

Samter, Max et al. eds.
Immunological diseases. 4th ed.- Boston, Little, Brown, 1988. 2v.

Turgeon, Mary Louise.
Immunology and serology in laboratory medicine.- St. Louis, Mosby, 1990.

393. LABORATORY METHODS（化驗室方法）

Henry, John Bernard.
Todd-Sanford-Davidsohn clinical diagnosis and management by laboratory methods. 17th ed.- Philadelphia, Saunders, 1984.

Ravel, Richard.
Clinical laboratory medicine: clinical application of laboratory data. 5th ed.- Chicago, Year Book, 1989.

394. LEGAL MEDICINE（法醫學）

American College of Legal Medicine.
Legal medicine: legal dynamics of medical encounters.- St. Louis, Mosby, 1988.

Southwick, Arthur F.
The Law of hospital and health care administration. 2nd ed.- Ann Arbor, Mich., Health Administration Press, 1988.

395. MEDICAL WRITING（醫學寫作）

Day, Robert A.
How to write and publish a scientific paper. 3rd ed. Phoenix, Oryx Press, 1988.

Iverson, Cheryl et al eds.
American Medical Association manual of style. 8th ed. Baltimore, Williams & Wilkins, 1989.

396. MICROBIOLOGY（微生物學）

Baron, Ellen Jo & Finegold, Sydney M.
Bailey & Scott's diagnostic microbiology. 8th ed.- St. Louis, Mosby, 1990.

Jawetz, Ernest et al.
Review of medical microbiology. 18th ed.- Norwalk, Conn., Appleton & Lange, 1989.

Tortora, Gerard J. et al.
Microbiology: an introduction. 3rd ed.- Redwood City, Calif., Addison-Wesley, 1989.

NUTRITION See
DIETITICS & NUTRITION

397. PARASITOLOGY（寄生蟲學）

Garcia, Lynne Shore & Bruckner, David A.
Diagnostic medical parasitology. N.Y., Elsevier, 1988.

Noble, Elmer R. & Noble, A.
Parasitology: the biology of animal parasites. 6th ed. Philadelphia, Lea & Febiger, 1989.

398. PATHOLOGY（病理學）

Kissane, John M. ed.
Anderson's pathology. 9th ed.- St. Louis, Mosby, 1989. 2v.

Rosai, Juan.
Ackerman's surgical pathology. 7th ed.- St. Louis, Mosby, 1989. 2v.

Sheldon, Huntington.
Boyd's introduction to the study of disease. 10th ed.- Philadelphia, Lea & Febiger, 1988.

399. PHARMACOLOGY AND THERAPEUTICS（藥理學與治療）

Hansten, Philip D. & Horn, John R.
Drug interactions: clinical significance of drug-drug interactions. 6th ed.- Philadelphia, Lea & Febiger, 1989. (Loose-leaf).

Katzung, Bertram G. ed.
Basic and clinical pharmacology. 4th ed. Norwalk, Conn., Appleton & Lange, 1989.

PDR.
Physicians' desk reference. 43rd ed. Oradell, N.J., Medical Economics Books, 1989. (Published

annually)

Physicians' desk reference for nonprescription drugs. 10th ed. Oradell, N.J., Medical Economics Books, 1989. (Published annually)

Conn's current therapy 1990: latest approved methods of treatment for the practicing physician. Philadelphia, Saunders, 1990. (Published annually).

Shinn, Arthur F. ed.
Evaluations of drug interactions. 1989/1990 edition. New York, Macmillan, 1990. (Also available in loose-leaf format with updates).

400. STATISTICS（統計學）

Glantz, Stanton A.
Primer of biostatistics. 2nd ed. New York, McGraw-Hill, 1987.

401. TOXICOLOGY（毒物學）

Bryson, Peter D.
Comprehensive review in toxicology. 2nd ed. Rockville, MD., Aspen, 1989.

Dreisbach, Robert H. & Robertson, William O.
Handbook of poisoning: prevention, diagnosis and treatment. 12th ed. Norwalk, Conn., Appleton & Lange, 1987.

Kaye, Sidney.
Handbook of emergency toxicology: a guide for the identification, diagnosis and treatment of poisoning. 5th ed. Springfield, Ill., Thomas, 1988.

(3) 臨牀醫學

402. ACQUIRED IMMUNODEFICIENCY SYNDROME (AIDS) (愛滋病)

DdVita, Vincent T. JR. et al. eds.
AIDS: etiology, diagnosis, treatment, and prevention. 2nd ed. Philadelphia, Lippincott, 1988.

Freedman-Kien, Alvin E. ed.
Color atlas of AIDS. Philadelphia, Saunders, 1989.

Sande, Merle A. & Volberding, Paul A. eds.
The medical management of AIDS. Philadelphia, Saunders, 1988.

see also

SEXUALLY TRANSMITTED DISEASES

403. ALLERGY (過敏反應)

Bierman, Charles W. & Pearlman, David S. eds.
Allergic diseases from infancy to adulthood. 2nd ed. Philadelphia, Saunders, 1988.

Middleton, Elliott, Jr. et al. eds.
Allergy: principles and practice. 3rd ed. St. Louis, Mosby, 1988. 2v.

404. ANESTHESIOLOGY (麻醉學)

Dripps, Robert Dunning et al.
Introduction to anesthesia: the principles of safe practice. 7th ed. Philadelphia, Saunders, 1988.

Stoelting, Robert K. et al. eds.
Anesthesia for co-existing disease. 2nd ed. New York, Churchill Livingstone, 1988.

405. CARDIOVASCULAR SYSTEM（心血管系統）

Braunwald, Eugene. ed.
Heart disease: a textbook of cardiovascular medicine. 3rd ed. Philadelphia, Saunders, 1988. 2v.

Eagle, Kim A. et al. eds.
The Practice of cardiology: the medical and surgical cardiac units at the Massachusetts General Hospital. 2nd ed. Boston, Little, Brown, 1989. 2v

Goldschlager, Nora & Goldman, Mervin J.
Principles of Clinical electrocardiography. 13th ed. Norwalk, Conn., Appleton & Lange, 1989.

Hurst, John Willis et al. eds.
The Heart: arteries and veins. 6th ed. New York, NcGraw-Hill, 1986. 2v.

Mandel, William J.
Cardiac arrhythmias: their mechanisms, diagnosis, and management. 2nd ed. Philadelphia, Lippincott, 1987.

406. CRITICAL CARE MEDICINE（危象病人的醫護）

Civetta, Joseph M. et al.
Critical care. Philadelphia, Lippincott, 1988.

Shoemaker, William C. et al. eds.
Textbook of critical care. 2nd ed. Philadelphia, Saunders, 1989.

407. DENTAL HYGIENE & DENTAL ASSISTING（牙科衛生與牙科助理）

Barton, Roger E. et al. eds.
The Dental assistant. 6th ed. Philadelphia, Lea & Febiger, 1988.

Charbeneau, Gerald T. ed.
Principles and practice of operative dentistry. 3rd ed. Philadelphia, Lea & Febiger, 1988.

De Lyre, Wolf R. & Johnson, Orlen N.
Essentials of dental radiography for dental assistants and hygienists. 4th ed. Norwalk, Conn., Appleton & Lange, 1990.

Hoag, Philip M. & Pawlak, Elizabeth A.
Essentials of periodontics. 4th ed. St. Louis, Mosby, 1990.

408. DERMATOLOGY（皮膚病學）

Arnold, Henry L. et al.
Andrews' diseases of the skin: clinical dermatology. 8th ed. Philadelphia, Saunders, 1989.

Fitzpatrick, Thomas B. et al. eds.
Dermatology in general medicine: textbook and atlas. 3rd ed. New York, McGraw-Hill, 1987. 2v.

Lebwohl, Mark ed.
Difficult diagnoses in dermatology. New York, Churchill Livingstone, 1988.

Sauer, Gordon C.
Manual of skin diseases. 5th ed. Philadelphia, Lippincott, 1985.

409. DIAGNOSTIC MEDICAL SONOGRAPHY(醫學診斷聲譜儀)

Burnside, John W. & McGlynn, Thomas J.
Physical diagnosis: an introduction to clinical medicine. 17th ed. Baltimore, Williams & Wilkins, 1987.

Fleischer, Arthur C. et al.
The Principles and practice of ultrasonography in obstetrics and gynecology. 4th ed. Norwalk, Conn., Appleton & Lange, 1990.

Hall, Rebecca.
The Ultrasound handbook: clinical, etiologic, pathologic implications of sonographic findings. Philadelphia, Lippincott, 1988.

Judge, Richard D. et al. eds.
Clinical diagnosis: a physiologic approach. 5th ed. Boston, Little, Brown, 1989.

Sanders, Roger C.
Clinical sonography: a practical guide. 2nd ed. Boston, Little, Brown, 1991.

see also

NUCLEAR MEDICINE TECHNOLOGY
RADIOLOGIC TECHNOLOGY

410. EEG TECHNOLOGY(腦超聲圖學技術)

Dyro, Frances M.
The EEG handbook. Boston, Little, Brown, 1989.

Tyner, Fay S. et al.
Fundamentals of EEG technology. New York, Raven Press, 1983-89. 2v.

411. EMERGENCY MEDICAL TECHNOLOGY (Including (PARAMEDIC) (急救醫療技術，包括輔助醫療)

American Academy of Orthopaedic Surgeons.
Emergency care and transportation of the sick and injured. 5th ed. Chicago, The Academy, 1991.

Eliastam, Michael et al. eds.
Manual of emergency medicine. 5th ed. Chicago, Year Book, 1989.

Goldfrank, Lewis R. et al.
Goldfrank's toxicologic emergencies. 4th ed. Norwalk, Conn., Appleton & Lange, 1990.

Grant, Harvey D. et al.
Brady emergency care. 5th ed. Englewood Cliffs, N.J., Brady, 1990.

H., Mary T. et al. eds.
Current emergency diagnosis and treatment. 3rd ed. Norwalk, Conn., Appleton & Lange, 1989.

Parcel, Guy S.
Basic emergency care of the sick and injured. 4th ed. St. Louis, Mosby, 1990.

412. GASTROENTEROLOGY (胃腸病學)

Gitnick, Gary L. et al. eds.
Principles and practice of gastroenterology and hepatology. New York, Elsevier, 1988.

Kirsner, Joseph B. & Shorter, Roy G. eds.
Diseases of the colon, rectum and anal canal. Baltimore, Williams & Wilkins, 1988.

Schiff, Leon & Schiff, Eugene R. eds.
Diseases of the liver. 6th ed. Philadelphia,

lippincott, 1987.

Sleisenger, Marvin H. & Fordtran, John S.
Gastrointestinal disease: pathophysiology, diagnosis, management. 4th ed. Philadelphia, Saunders, 1989. 2v. (Also 1-v. ed.)

413. GERIATRICS（老年醫學）

Reichel, William ed.
Clinical aspects of aging. 3rd ed. Baltimore, Williams & Wilkins, 1989.

Rowe, John W. & Besdine, Richard W. eds.
Geriatric medicine. 2nd ed. Boston, Little, Brown, 1988.

414. GYNECOLOGY & OBSTETRICS（婦科學與產科學）

Cunningham, F. Gary et al.
Williams obstetrics. 18th ed. Norwalk, Conn., Appleton & Lange, 1989.

Gusberg, Saul B. et al. eds.
Female genital cancer. New York, Churchill Livingstone, 1988.

Pernoll, Martin L. & Benson, Ralph C. eds.
Current obstetric and gynecologic diagnosis and treatment. 6th ed. Norwalk, Conn., Appleton & Lange, 1987.

Speroff, Leon et al.
Clinical gynecologic endocrinology and infertility. 4th ed. Baltimore, Williams & Wilkins, 1989.

415. HOSPITALS AND ADMINISTRATION（醫院及其行政）

Feldstein, Paul J.
Health care economics. 3rd ed. New York, Wiley, 1988.

Joint Commission on Accreditation of Healthcare Organizations.
Accreditation manual for hospitals. 1989 ed. Chicago, The Organizations, 1988.

Metzger, Norman.
The Health care supervisor's handbook. 3rd ed. Rockville, Md., Aspen, 1988.

Wolper, Lawrence F. & Pena, Jesus J. eds.
Health care administration: principles and practices. Rockville, Md., Aspen, 1987.

416. INFECTIOUS DISEASES（傳染病）

Feigin, Ralph D. & Cherry, James D.
Textbook of pediatric infectious diseases. 2nd ed. Philadelphia, Saunders, 1987.

Hoeprich, Paul D. & Jordan, M. Colin. eds.
Infectious diseases: a modern treatise of infectious processes. 4th ed. Philadelphia, Lippincott, 1989.

Mandell, Gerald L. et al. eds.
Principles and practice of infectious diseases. 3rd. ed. New York, Churchill Livingstone, 1989.

417. INTERNAL MEDICINE（内科）

Braunwald, Eugene et al. eds.
Harrison's principles of internal medicine. 11th

ed. New York, McCraw-Hill, 1987. 2v. (Also in 1-v. ed.)

Kelley, William N. et al eds.
Textbook of internal medicine. Philadelphia, Lippincott, 1989, 2v, (Also in 1-v. ed)

Schroeder, Steven A. et al eds.
Current medical diagnosis & treatment 1989. Norwalk, Conn., Appleton & Lange, 1989. Revised annually.

Wyngaarden, James B. & Smith, Lloyd H., Jr. eds.
Cecil textbook of medicine. 18th ed. Philadelphia, Saunders, 1988. 2v. (Also in 1-v. ed)

LABORATORY DIAGNOSIS see MEDICAL TECHNOLOGY

418. MEDICAL ASSISTANT（醫療輔助）

Bonewit, Kathy.
Clinical procedures for medical assistants. 3rd ed.- Philadelphia, Saunders, 1990.

Keir, Luciile et al.
Medical assisting: clinical and administrative competencies. 2nd ed.- Albany, N.Y., Delmar, 1989.

Zakus, Sharron M. et al.
Mosby's fundamentals of medical assisting: administrative and clinical theory and technique. 2nd ed.- St. Louis, Mosby, 1990.

see also

MEDICAL SECRETARY

419. MEDICAL RECORDS（病案）

Amatayakul, Margret. ed.
Medical record management. 9th ed. rev. by the American Medical Record Association.- Berwyn, Ill., Physicians' Record Co., 1990.

Skurka, Margaret.
Organization of medical record departments in hospitals. 2nd ed.- Chicago, American Hospital Pub. Co., 1988.

420. MEDICAL SECRETARY（醫務秘書）

Fordney, Marilyn Takahashi & Diehl, Marcy Otis.
Medical transcription guide: Do's and Dont's.- Philadelphia, Saunders, 1990.

Humphrey, Doris D.
Contemporary medical office procedures. Belmont, Calif., Wadsworth, 1990.

see also

MEDICAL ASSISTANT

421. MEDICAL TECHNOLOGY（醫療技術）

Henry, John Bernard. ed.
Todd-Sanford-Davidsohn clinical diagnosis and management by laboratory methods. 18th ed.- Philadelphia, Saunders, 1990.

Linderg, David S. et al.
Williams' introduction to the profession of medical technology. 5th ed.- Philadelphia, Lea & Febiger, 1990.

Sacher, Ronald.
Widmann's clinical interpretation of laboratory tests. 10th ed.- Philadelphia, Davis, 1990.

Tietz, Norbert W. ed
Clinical guide to laboratory tests. 3rd ed.- Philadelphia, Saunders, 1990.

Walters, Norma J. et al.
Basic medical laboratory techniques. 2nd ed.- Albany, N.Y., Delmar, 1990.

422. NEUROLOGY（神經病學）

Adams, Raymond D. & Victor, Maurice.
Principles of neurology. 4th ed. New York, McGraw-Hill, 1989.

De Groot, Jack & Chusid, Joseph G.
Correlative neuroanatomy. 20th ed. Norwalk, Conn., Appleton & Lange, 1988.

Rowland, Lewis P.
Merritt's textbook of neurology. 8th ed. Philadelphia, Lea & Febiger, 1989.

423. NUCLEAR MEDICINE TECHNOLOGY（核醫學技術）

Bernier, Donald R. et al. eds.
Nuclear medicine: technology and technology and techniques. 2nd ed. St. Louis, Mosby, 1989.

Early, Paul J & Sodee, D. Bruce.
Principles and practice of nuclear medicine. 2nd ed. St. Louis, Mosby, 1991.

see also

DIAGNOSTIC MEDICAL SONOGRAPHY
RADIOLOGIC TECHNOLOGY

424. NURSING（護理）

Bobak, Irenė M. et al.
Maternity and gynecologic care: the nurse and the family. 4th ed. St. Louis, Mosby, 1989.

Gee, Gayling & Moran, Theresa A. eds.
AIDS: concepts in nursing practice. Baltimore, Williams & Wilkins, 1988.

Groves, Kathleen Whittaker et al.
The Johns Hopkins Hospital surgical nursing patient care guidelines. Norwalk, Conn., Appleton & Lange, 1988.

James, Susan Rowen & Mott, Sandra R.
Child Health nursing: essential care of children and families. Menlo Park, Calif., Addison-Wesley, 1988.

Mckenry, Leda & Salerno, Evelyn.
Mosby's pharmacology in nursing. 17th ed. St. Louis, Mosby, 1989.

Thompson, June M. et al.
Mosby's manual of clinical nursing. 2nd ed. St. Louis, Mosby, 1989.

425. OCCUPATIONAL THERAPY（職業療法）

Hopkins, Helen L. & Smith, Helen D. eds.
Willard and Spackman's Occupational therapy. 7th ed. Philadelphia, Lippincott, 1988.

Kovich, Karen M. & Bermann, Diane E.
Head injury: a guide to functional outcomes in occupational therapy. Rockville, Md., Aspen, 1988.

Melvin, Jeanne Lynn.
Rheumatic disease in the adult and child: occupational therapy and rehabilitation. 3rd ed. Philadelphia, Davis, 1989.

Trombly, Catherine Anne, ed.
Occupational therapy for physical dysfunction. 3rd ed. Baltimore, Williams & Wilkins, 1989.

see also

PHYSICAL THERAPY
REHABILITATION

426. ONCOLOGY（腫瘤學）

Beahrs, Oliver H. et al. eds.
Manual for staging of cancer. 3rd ed. Philadelphia, Lippincott, 1988.

DeVita, Vincent T., Jr. et al. eds.
Cancer: principles and practice of oncology. 3rd ed. Philadelphia, Lippincott, 1989.

Roth, Jack A. et al.
Thoracic oncology. Philadelphia, Saunders, 1989.

Williams, Christopher J. et al. eds.
Textbook of uncommon cancer. New York, Wiley, 1988.

Wittes, Robert E. ed.
Manual of oncologic therapeutics, 1989/1990. Philadelphia, Lippincott, 1989.

427. OPHTHALMOLOGY（眼科學）

Hoskins, H. Dunbar & Kass, Michael A.

Becker-Shaffer's diagnosis and therapy of the glaucomas. 6th ed. St. Louis, Mosby, 1989.

Roy, Frederick H.
Ocular differential diagnosis. 4th ed. Philadelphia, Lea & Febiger, 1989.

Vaughan, Daniel & Asbury, Taylor.
General ophthalmology. 12th ed. Norwalk, Conn., Appleton & Lange, 1989.

428. ORTHOPEDICS（矯形外科學）

Brashear, H. Robert & Raney, Richard Beverly.
Handbook of orthopaedic surgery. 10th ed. St. Louis, Mosby, 1986.

Dee, Roger et al. eds.
Principles of orthopaedic practice. New York, McGraw-Hill, 1988. 2v.

429. OTORHINOLARYNGOLOGY（耳鼻喉科學）

Adams, George L. et al.
Boies's fundamentals of otolaryngology. 6th ed. Philadelphia, Saunders, 1989.

DeWeese, David Downs et al.
Otolaryngology - head and neck surgery. 7th ed. St. Louis, Mosby, 1988.

430. PATIENT EDUCATION（病人教育）

Griffith, H. Winter.
Instructions for patients. 4th ed. Philadelphia, Saunders, 1989.

Meyers, Donna.

Client teaching guides for home health care. Rockville, MD, Aspen, 1989.

431. PEDIATRICS（兒科學）

Avery, Mary Ellen & First, Lewis R. eds.
Pediatric medicine. Baltimore, Williams & Wilkins, 1989.

Hodson, William Alan & Truog, William E.
Critical care of the newborn. 2nd ed.- Philadelphia, Saunders, 1989.

Silver, Henry K. et al.
Handbook of pediatrics. 15th ed. Norwalk, Conn., Appleton & Lange, 1987.

Tunnessen, Walter W.
Signs and Symptoms in pediatrics. 2nd ed.- Philadelphia, Lippincott, 1988.

432. PHYSICAL THERAPY（理療）

Basmajian, John V. & Wolf, Steven L. eds.
Therapeutic exercise. 5th ed. Baltimore, Williams & Wilkins, 1990.

Brimer, Mark A.
Health care management in physical therapy. Springfield, Ill., Thomas, 1990.

Goodgold, Joseph, ed.
Rehabilitation medicine. St. Louis, Mosby, 1988.

Gould, James A. & Davies, George J.
Orthopaedic and sports physical therapy. 2nd ed. St. Louis, Mosby, 1990.

Hertling, Darlene & Kessler, Randolph M.

Management of common musculoskeletal disorders: physical therapy principles and methods. 2nd ed. Philadelphia, Lippincott, 1990.

Irwin, Scot & Tecklin, Jan Stephen eds.
Cardiopulmonary physical therapy. 2nd ed. St. Louis, Mosby, 1990.

Kisner, Carolyn & Colby, Lynn Allen.
Therapeutic exercise: foundations and techniques. 2nd ed. Philadelphia, Davis, 1990.

Lehmann, Justus F. ed.
Therapeutic heat and cold. 4th ed. Baltimore, Williams & Wilkins, 1990.

Palmer, M. Lynn & Epler, Marcia E.
Clinical assessment procedures in physical therapy. Philadelphia, Lippincott, 1990.

Tecklin, Jan Stephen.
Pediatric physical therapy. Philadelphia, Lippincott, 1989.

see also

OCCUPATIONAL THERAPY
REHABILITATION

433. PHYSICIAN ASSISTANT（醫生助理）

Schafft, Gretchen Engle & Cawley, James F.
The Physician assistant in a changing health care environment. Rockville, MD., Aspen, 1987.

434. PSYCHIATRY（精神病學）

American Psychiatric Association.
Diagnostic and statistical manual of mental dis-

orders: DSM-III-R. 3rd ed. rev. Washington, D.C., American Psychiatric Association, 1987.

Goldman, Howard H. ed.
Review of general psychiatry. 2nd ed. Norwalk, Conn., Appleton & Lange, 1988.

Kaplan, Harold I. & Sadock, Benjamin J. eds.
Comprehensive textbook of psychiatry/ V. 5th ed. Baltimore, Williams & Wilkins, 1989. 2v.

Talbott, John A. et al. eds.
The American Psychiatric Press textbook of psychiatry. Washington, D.C., American Psychiatric Press, 1988.

435. RADIOLOGIC TECHNOLOGY（放射技術）

Ehrlich, Ruth Ann & McCloskey, Ellen D.
Patient care in radiography. 3rd ed. St. Louis, Mosby, 1989.

Goldberg, Stanley J. et al.
Doppler echocardiography. 2nd ed. Philadelphia, Lea & Febiger, 1988.

Mace, James D. & Kowalczyk, Nina.
Radiographic pathology for technologists. St. Louis, Mosby, 1988.

Sprawls, Perry.
Principles of radiography for technologists. Rockville, Md., Aspen, 1990.

Torres, Lillian S.
Basic medical techniques and patient care for radiologic technologists. 3rd ed. Philadelphia, Lippincott, 1989.

see also

DIAGNOSTIC MEDICAL SONOGRAPHY:
NUCLEAR MEDICINE TECHNOLOGY

436. RADIOLOGY & IMAGING (放射學與成像)

Egan, Robert L.
Breast imaging: diagnosis and morphology of breast diseases. Philadelphia, Saunders, 1988.

Eisenberg, Ronald L.
Clinical imaging: an atlas of differential diagnosis. Rockville, Md., Aspen, 1988.

Fraser, Robert G. et al.
Diagnosis of diseases of the chest. 3rd ed. Philadelphia, Saunders, 1988-89. 4v.

Haaga, John R. & Alfidi, Ralph J. eds.
Computed tomograpahy of the whole body. 2nd ed. St. Louis, Mosby, 1988. 2v.

Resnick, Donal & Niwayama, Gen.
Diagnosis of bone and joint disorders. 2nd ed. Philadelphia, Saunders, 1988. 6v.

437. REHABILITATION (復健)

DeLisa, Joel A. et al. eds.
Rehabilitation medicine: Principles and practice. Philadelphia, Lippincott, 1988.

Hunter, James M. et al. eds.
Rehabilitation of the hand: surgery and therapy. 3rd ed. St. Louis, Mosby, 1990.

Kemp, Bryan et al eds.
Geriatric rehabilitation. Boston, Little, Brown,

1990.

Rosenthal, Mitchell et al. eds.
Rehabilitation of the adult and child with traumatic brain injury. 2nd ed. Philadelphia, Davis, 1990.

Umphred, Darcy Ann ed.
Neurological rehabilitation. 2nd ed. St. Louis, Mosby, 1990.

438. RESPIRATORY THERAPY（呼吸療法）

Baum, Gerald L. & Wolinsky, Emanuel eds.
Textbook of pulmonary diseases. 4th ed. Boston, Little, Brown, 1989.

Burton, George G. & Hodgkin, John E. eds.
Respiratory care: a guide to clinical practice. 3rd ed. Philadelphia, Lippincott, 1991.

Kacmarek, Robert M. et al.
The Essentials of respiratory therapy. 3rd ed. Chicago, Year Book, 1990.

Kirby, Robert R. et al. eds.
Clinical applications of ventilatory support. New York, Churchill Livingstone, 1990.

Levitzky, Michael G. et al.
Introduction to respiratory care. Philadelphia, Saunders, 1990.

McPherson, Steven P. & Spearman, Charles B.
Respiratory therapy equipment. 4th ed. St. Louis, Mosby, 1990.

Rattenborg, Christen C. ed.
Clinical use of mechanical ventilation. 2nd ed. Chicago, Year Book, 1990.

Ruppel, Gregg.
Manual of pulmonary function testing. 5th ed. St. Louis, Mosby, 1991.

Scanlan, Craig L. et al eds.
Egan's fundamentals of respiratory care. 5th ed. St. Louis, Mosby, 1990.

West, John B.
Respiratory physiology: The Essentials. 4th ed. Baltimore, Williams & Wilkins, 1990.

439. RHEUMATOLOGY（風濕病學）

Kelley, William N. et al. eds.
Textbook of rheumatology. 3rd ed. Philadelphia, 1989. 2v.

McCarty, Daniel J. ed.
Arthritis and allied conditions: a textbook of rheumatology. 11th ed. Philadelphia, Lea & Febiger, 1989.

440. SEXUALLY TRANSMITTED DISEASES（性交疾病）

Holmes, King K. et al. eds.
Sexually transmitted diseases. 2nd ed. New York, McGraw-Hill, 1989.

Sun, Tsieh.
Sexually related infectious diseases: clinical and laboratory aspects. Chicago, Year Book, 1986.

see also

ACQUIRED IMMUNODEFICIENCY SYNDROME (AIDS)

441. SPORTS MEDICINE（運動醫學）

Appenzeller, Otto, ed.
Sports medicine: fitness, training, injuries. 3rd ed. Baltimore, Urban & Schwarzenberg, 1988.

Dirix, Albert & et al., eds.
The Olympic book of sports medicine. Chicago, Year Book, 1988.

442. SURGICAL TECHNOLOGY（外科技術）

Corman, Marvin L.
Colon and rectal surgery. 2nd ed. Philadelphia, Lippincott, 1989.

Fuller, Joanna R.
Surgical technology: principles and practice. 2nd ed. Philadelphia, Saunders, 1986.

Goldman, Maxine A.
Pocket guide to the operating room. Philadelphia, Davis, 1988.

Liechty, Richard D.
Fundamentals of surgery. 6th ed. St. Louis, Mosby, 1989.

Schwartz, Seymour I. et al., eds.
Principles of surgery. 5th ed. New York, McGraw-Hill, 1989. 2v.

Shields, Thomas W.
General thoracic surgery. 3rd ed. Philadelphia, Lea & Febiger, 1989.

443. TROPICAL MEDICINE（熱帶病學）

Maegraith, Brian.
Adams & Maegraith: clinical tropical diseases. 8th ed. Chicago, Year Book, 1984.

Manson-Bahr, Philip E.C., & Bell, Dion R.
Manson's tropical diseases. 19th ed. Philadelphia, Saunders, 1988.

444. UROLOGY（泌尿科學）

Schrier, Robert W. & Gottschalk, Carl W.
Diseases of the kidney. 4th ed. Boston, Little, Brown, 1988. 3v.

Tanagho, Emil A. & McAninch, Jack W.
Smith's general urology. 12th ed. Norwalk, Conn., Appleton & Lange, 1988.

(二) 連續性刊物表

(1) **Advances**：（共57種）

Advances in alcohol and substance abuse 1991. ISSN 0270-3106.

Advances in anatomy, embryology and cell biology, 1991. ISSN 0301-5556.

Advances in anesthesia, Vol. 7, 1991. ISBN 0-8151-3308-1. Year BK Med.

Advances in biochemical engineering/Biotechnology, 1991. (Heidelberg)

Advances in biochemical psychopharmacology, 1991. ISSN 0065-2229.

Advances in biophysics, 1991. ISSN 0065-227X.

Advances in biotechnological processes, 1991. (New York) ISSN 0736-2293.

Advances in cancer research, 1991. ISSN 0065-230X.

Advances in carbohydrate chemistry and biochemistry, 1991. ISSN 0065-2318.

Advances in cardiac surgery, vol. 1, 1990. Chicago: Year Book Medical Publishers annual. ISSN 0889-5074.

Advances in cardiology, 1991, (Basel) ISSN 0065-2326.

Advances in chromatography, 1991. ISSN 0065-2415.

Advances in clinical chemistry, 1991. ISBN 0-12-010322-2 Acad Pr.

Advances in clinical rehabilitation, 1991, (N.Y.) ISSN 0892-8878.

Advances in colloid and interface science, 1991. (Amsterdam) ISSN 0001-8686.

Advances in contraception, 1991, (Dordrecht.) ISSN 0267-4874.

Advances in contraceptive delivery system, 1990-

Advances in dental research v. 4, 1990.

Advances in dermatology, 1991.(Chicago) ISSN 0882-0880.

Advances in eating disorders. vol. 1, 1987. (Greenwich, Conn.): Sai Press.

Advances in enzyme regulation, 1991. (Oxford) ISSN 0065-2571.

Advances in enzymology & related areas of molecular

biology, 1991. ISBN 0-471-89011-1. Wiley.

Advances in experimental medicine and biology, 1991. (New York) ISSN 0065-2598.

Advances in Food and Nutrition Research, 1991. (San Diego CA) ISSN 1043-4526.

Advances in Functional Neuroimaging. vol. 1, no. 1. (Spring 1988), Florham Park, NJ: Macmillan Healthcare Information. (Title from cover.)

Advances in Genetics, 1991. ISBN 0-12-017622-X Acad Pr.

Advances in Health Economics & Health Services Research. Supplement-1 (1990). Greenwich, Conn.: SAI Press.

Advances in health education, vol. 1, 1988, New York: AMS Press, Called also: Advances in Health Education Current Research, Annual ISSN 0890-4073.

Advances in human genetics, 1991. ISSN 0065-275X. Pleum Pub.

Advances in immunity & cancer therapy, 1991. ISBN 0-387-96083-X, Springer Verlag.

Advances in immunology, 1991. ISBN 0-12-022437-2 Acad Pr.

Advances in internal medicine, 1991. ISBN 0-8151-8300-3. Year BK Med.

Advances in lectin Research. Vol. 1, 1988. Berlin; N.Y.: Springer-Verlag.

Advances in lipid research, 1991. (N.Y.) ISSN 0065-2849.

Advances in Microbial physiology, 1991. ISBN 0-12-027725-5. Acad Pr.

Advances in mutagenesis research, V. 1, 1990. Berlin: New York: Springer-Verlag.

Advances in nephrology from the Necker Hospital 1991, (Chicago. Ill.) ISSN 0084-5957.

Advances in neurology, 1991. (New York) ISSN 0091-3952.

Advances in nutritional research, 1991. (N.Y.) ISSN 0149-9483.

Advances in ophthalmic plastic reconstructive surgery, 1991. ISSN 0276-3508.

Advances in orthopedic surgery, 1990.

Advances in oto-rhin-laryngology, 1991. (Basel) ISSN 0065-3071 S. Karger (Continues: Fortschritte der Hals-Nasen-Ohrenheilkunde)

Advances in parasitology, 1991, (London) ISBN 0-12-031724-9 Acad Pr.

Advances in pathology, Vol. 1 (1988) Chicago: Year BK Med ISSN 0889-3969.

Advances in pediatric infectious diseases, 1991. (Chicago. Ill.) ISSN 0884-9404.

Advances in pharmacology, 1990, (Calif.) (Continues: Advances in pharmacology & chemotherapy)

Advances in psychosomatic medicine, 1990. (Basel) ISSN 0065-3268.

Advances in prostaglandin, Thromboxane, and leukotriene research, 1991. (N.Y.) ISSN 0732-8141.

Advances in second messenger and phosphoprotein research, 1991. N.Y. (Continues: Advances in cyclic nucleotide and protein phosphorylation research)

Advances in social congnition. Vol. 1, 1988. Annual ISSN 0898-2007.

Advances in space research 1990.

Advances in surgery, 1991, ISBN 0-8151-7665-1. Year BK Med.

Advances in the biosciences. 1990.

Advances in urology, 1990, Chicago, Yearbook Medical Publishers.

Advances in veterinary science & comparative medicine, 1990. ISBN 0-12-039227-5. Acad Pr.

Advances in virus research, 1990, ISBN 0-12-039829-X. Acd Pr.

(2) **Annals** :（共34種）

Annals of allergy, 1991.

Annals of biomedical engineering, V. 18(6), 1990.

Annals of clinical and laboratory science, 1990.

Annals of clinical biochemistry, V. 27, Sep. 1990.

Annals of clinical psychiatry: official journal of the American Academy of Clinical Psychiatrists.- Vol. 1, no. 1, (Mar. 1989). New York, N.Y.: Elsevier, ISSN 1040-1237.

Annals of clinical research, with supplements, 1990.

Annals of dentistry 49(2), 1990.

Annals of emergency medicine, 1991.

Annals of human biology, 1990.

Annals of human genetics, 1990.

Annals of internal medicine, 1991.

Annals of medicine, 1990. (Helsinki) ISSN 0785-3890.

Annals of neurology, 1991. (Boston) ISSN 0364-5134.

Annals of nuclear medicine. Vol. 4, no. 2, (Jul. 1990). Tokyo, Japan: Japanese Society of Nuclear Medicine.

Annals of nutrition and metabolism, 1990. (Basel) ISSN 0250-6807.

Annals of occupational hygiene, 1990. (Oxford) ISSN 0003-4878.

Annals of ophthalmology, 1990. (Ridgefield, CT) ISSN 0003-4886.

Annals of otology, rhinology and laryngology, 1990.

------. Suppl. 1990.

Annals of physiological anthropology, 1990.

Annals of paediatric surgery, 1988.

Annals of plastic surgery, 1991. (Boston) ISSN 0148-7043.

Annals of sex research.- Vol. 1, no. 1, Toronto, Canada: Juniper Press.

Annals of sports medicine, 1988.

Annals of surgery, v. 213, Mar. 1991.

Annals of The Academy of Medicine, Singapore. v. 19 (5), Sep. 1990.

Annals of The National Academy of Medical Sciences, 1991.

Annals of The New York Academy of Sciences. v. 618, 1991.

Annals of the rheumatic diseases, 1991. ISSN 0003-4967.

Annals of The Royal College of Physicians & Surgeons of Canada, 1989.

Annals of The Royal College of Surgeons of Eng, land v. 73, 1991.

Annals of thoracic surgery, 1991.

Annals of tropical medicine and parasitology, 1990. ISSN 0003-4983.

Annals of tropical paediatrics, 1990. ISSN 0272-4939.

Annals of vascular surgery, 1991. (Detroit) ISSN 0890-5096.

(3) **Annual review**：（共30種）

Annual review of allergy, 1990.

Annual review of biochemistry, 1991. (Palo Alto, CA) ISBN 0-8243-0855-7.

Annual review of biophysics, biophysical chemistry, 1991 (Palo Alto CA) ISBN 0-8243-1814-5 (Continues Annual review of biophysics & bioengineering)

Annual review of cell biology, 1990, (Palo Alto CA) ISBN 0-8243-3101-X.

Annual review of entomology, 1991. ISSN 0066-4170.

Annual review of genetics, 1991. (Palo Alto CA) ISBN 0-8243-1217-1.

Annual review of Immunology, 1991. (Palo Alto CA) ISBN 0-8243-3004-8.

Annual review of medicine, 1991. (Palo Alto CA) ISBN

ISBN 0-8243-0537-X. A51-1659)

Annual review of microbiology, 1991. (Palo Alto CA) ISBN 0-8243-1137-X.

Annual review of neuroscience, 1990. (Palo Alto CA) ISBN 0-8243-2409-9.

Annual review of nuclear & particle science, 1990.

Annual review of nursing research, Vol. 8, 1990. ISBN 0-8261-4350-4 Springer.

Annual review of nutrition, 1990. (Palo Alto CA) ISBN 0-8243-2806-X.

Annual review of pharmacology & toxicology, 1991. (Palo Alto CA) ISBN 0-8243-0426-8 (Continues: Annual Review of Pharmacology)

Annual review of physical chemistry, 1991. ISSN 0066-426X.

Annual review of physiology, 1991. ISBN 0-8243-0348-2.

Annual review of phytopathology, 1990.

Annual review of plant physiology, 1990.

Annual review of psychology, 1990. (Palo Alto CA) ISSN 0066-4308.

Annual review of public health, 1990. (Palo Alto CA) ISBN 0-8243-2707-1.

(4) **Current advances**：(共12種)

Current advances in biochemistry, 1990.

Current advances in cancer research, 1990.

Current advances in cell & developmental biology,1990.
Current advances in clinical chemistry, 1990.
Current advances in ecological sciences, 1990.
Current advances in endocrinology, 1990.
Current advances in genetics & molecular biology, 1990.
Current advances in immunology, 1990.
Current advances in microbiology, 1990.
Current advances in pharmacology & toxicology, 1990.
Current advances in physiology, 1990.
Current advances in plant science, 1990.

(5) **Current Opinion**：(共6種)

Current opinion in cell biology Vol. 1, no. 1, (Feb. 1989). Philadelphia, PA. ISSN 0955-0674.

Current opinion in gastroenterology, 1990.

Current opinion in immunology.- Vol. 1, no. 1, (Sep./oct. 1988). Philadelphia, PA. ISSN 0952-7915.

Current opinion in obstetrics & gynecology, Vol1, No. 1, Oct. 1989. Philadelphia PA.(Includes a section called: bibliography of the current world literature.- bimonthly ISSN 1040-872X)

Current opinion in oncology.- Vol. 1 no. 1. (Oct. 1989)- Philadelphia, PA: Includes a section called: bibliography of the current world Literature. bimonthly ISSN 1040-8746.

Current opinion in radiology, 1990. ISSN 1040-869X.

(6) **Problems**：（共5種）

Problems in anesthesia.- Vol.1, no. 1, (Jan.- Mar. 1987). Philadelphia: Lippincott. c1987- ISSN 0889-4698.

Problems in critical care, 1990.

Problems in general surgery, 1990.

Problems in respiratory care.- Vol. 1. no. 1, (July-Sept. 1988). Philadelphia: Lippincott. ISSN 0897-9677.

Problems in urology, 1990.

(7) **Progress**：（共25種）

Progress in behavior modification, v. 26, 1990 (Newbury Park CA) ISSN 0099-037X.

Progress in biophysics molecular biology, 1990. ISBN 0-08-032324-3 Pergamon. (Continues: Progress in biophysics & biophysical chemistry).

Progress in brain research, 1990. ISSN 0079-6123.

Progress in cardiovascular diseases, V. 33, 1991. (N.Y.) ISSN 0033-0620.

Progress in cardiovascular nursing, V. 5, 1990.

Progress in Clinical and biological research, V. 362, 1991. (New York)

Progress in clinical parasitology, Vol. 1, 1989, New York.

Progress in drug research, 1990. (Basel) ISBN 3-76431-556-3 Birkhauser.

Progress in experimental tumor research, 1990. ISBN 3-8055-3857-X. S. Karger.

Progress in food & nutrition science, 1990. ISBN 0-08-030928-3. Pergamon.

Progress in growth factor research. Vol. 1, no. 1, 1989. Oxford: New York: Pergaman. ISSN 0955-2235.

Progress in hematology, 1991. ISBN 0-8089-1769-2, 790704. Grune.

Progress in hemostasis & thrombosis, 1990. ISBN 0-8089-1688-2, 794197 Grune.

Progress in histochemistry and cytochemistry, 1991. (Stuttgart) ISSN 0079-6336.

Progress in hypertension. Vol. 1, 1988. Utrecht, The Netherlands: VSP.

Progress in lipid research, 1990. (Oxford) ISSN 0163-7827 (Continues: Progress in the chemistry of fats and other lipids)

Progress in medical genetics, 1991. Saunders. ISBN 0-7216-1074-9.

Progress in medical virology, 1990. (Basel) ISBN 3-8055-4155-4. S Karger.

Progress in medicinal chemistry, 1991. (Amsterdam) ISSN 0079-6468.

Progress in neurobiology, 1991. ISBN 0-08-033679-5. H140, H110 Pergamon.

Progress in neuropsychopharmacology and biological psychiatry, 1991. ISBN 0-08-027157-X. Pergamon (Continues: Progess in neuro-psychopharmacology)

Progress in nucleic acid research & molecular biology, 1990. ISBN 0-12-540030-6. Acad. Pr.

Progress in public education about cancer: Vol. 1. no. 1, 1989. (Geneva, Switzerland) "This series was previously published as apart of the UICC Technical report series under the title or public Education About Cancer."

Progress in reproductive & urinary tract pathology. Vol. 1, 1989. New York, N.Y. ISSN 1043-9994.

Progress in spinal pathology, 1988. Wien: New York Springer-Verlag. Official publication of the Italian Scoliosis Research Group. ISSN 0934-6783.

(8) **Year Book**：（共33種）

Year Book of Anesthesia, 1990. ISBN 0-8151-5930-7. Year BK. Med.

Year Book of Cancer, 1990. ISBN 0-8151-1792-2. Year BK. Med.

Year Book of Cardiology, 1990. ISBN 0-8151-4203-X. Year BK. Med.

Year Book of Critical Care Medicine, 1990. ISBN 0-8151-7351-2 Year BK. Med.

Year Book of Dentistry, 1990. ISBN 0-8151-4092-4. Year BK. Med.

Year Book of Dermatology, 1990. ISBN 0-8151-2670-0. Year BK. Med.

Year Book of Developmental Biology. 1989 Boca Ralon.

Fla. CRC Press. ISSN 1042-8607.

Year Book of Diagnostic Radiology, 1990. ISBN 0-8151-1134-7 Year BK. Med.

Year Book of Digestive Diseases, 1990. ISBN 0-8151-3938-1 Year BK. Med.

Year Book of Drug Therapy, 1990. ISBN 0-8151-4619-1 Year BK. Med.

Year Book of Emergency Medicine, 1990. ISBN 0-8151-9056-5 Year BK. Med.

Year Book of Endocrinology, 1990. ISBN 0-8151-7726-7. Year BK. Med.

Year Book of Family Practices, 1990. ISBN 0-8151-7017-3. Year BK. Med.

Year Book of Hand Surgery, 1990. ISBN 0-8151-2636-0. Year BK. Med.

Year book of Infertility 1989. Chicago, Year BK Med ISSN 0896-4475.

Year Book of Medicine, 1990. ISBN 0-8151-7314-8 Year BK. Med.

Year Book of Neurology & Neurosurgery, 990. ISBN 0-8151-2407-4 Year BK ed.

Year book of Nuclear Medicine, 1990. ISBN 0-8151-4529-2. Year BK. Med.

Year book of Obstetric & Gynecology, 1990. ISBN 0-8151-6694-X Year BK ed.

Year Book of Ophthalmology, 1990. ISBN 0-8151-3138-0. Year BK. Med.

Year Book of Orthopedics, 1990. ISBN 0-8151-1885-6.

Year BK. Med.

Year Book of Otolaryngology,1990. ISBN 0-8151-6639-7. Year BK. Med.

Year Book of Pathology & Clinical Pathology, 1990 ISBN 0-8151-1238-6d Year BK. Med.

Year book of Pediatric Medicine & Surgery, 1990. ISBN 0-87993-129-9) utura.

Year Book of Pediatrics, 1990. ISBN 0-8151-6569-2. Year BK. Med.

Year book of Plastic, reconstructive, surgery, 1990. Chicago, Year BK Med. ISSN 1040-175X.

Year book of Psychiatry & Applied Mental Health,1990. ISBN 0-8151-6027-5 Year BK. Med.

Year book of Psychoanalysis & Psychotherapy, Vol.7, 1989. ISBN 0-931231-04-3 Newconcept Pr.

Year Book of Sports Medicine, 1990. ISBN 0-8151-5158-6 Year BK. Med.

Year Book of Substance Use & Abuse, Vol. VII,1989. ISBN 0-89885-216-1 Human Sci Pr.

Year Book of Surgery, 1990. ISBN 0-8151-7693-7. Year BK. Med.

Year Book of Toxicology. 1989. Boca Raton, Fla.: CRC Press, ISSN 1042-0932.

Year Book of Urology, 1990. ISBN 0-8151-3474-6. Year BK. Med.

十一、參考書目

1. American reference books annual. Littleton, Colorado: Libraries unlimited, Inc., c1984-87.
2. Guide to reference books. 9th ed. 2nd supplement, 1982.
3. Morton, L.T. & Godbolt, S.
   Information sources in the medical sciences.- 3rd ed. London, Butterworths, 1984.
4. Medical and health care books & serials in print 1986. N.Y.: Bowker, 1986.
5. U.S. National library of medicine. Current catalog. 1984-1990.
6. Whitkers' Catalog 1988. 4v.
7. Ulrich's international periodicals directory 1989-90. 28th ed. New York, Bower, c1989. 3v.
8. Brandon, A.N., Hill, D.R. et al.
   Selected list of books and journals for the small medical library. (In: Bulletin of medical library association, v. 77, no. 2, April 1989)

   -----------.

   Selected list of books & journals in allied health sciences. (In: Bulletin of medical library association, v. 78, no. 3, July 1990)

9. 中國科學院上海分院技術情報文獻中心 1991 年新書展覽。
10. 上海醫科大學圖書館教師閱覽室 1991 年新書展覽。

十二、西文書名索引

凡　例

一、本索引按書名字順排列

二、書名前冠詞不計

三、連續性刊物排入附錄二
如 Advance in,

A

B

C

D

E

F

G

I

J

K

L

M

N

O

P

R

S

T

U

V

W

Y

國立中央圖書館出版品預行編目資料

外文醫學參考工具書舉要/顏澤湛編著. --初版. --臺北市：臺灣學生,民81
面；　公分.--(圖書館學與資訊科學叢書；26)
參考書目；面
含索引
ISBN 957-15-0360-6 (精裝).--ISBN 957-15-0361-4 (平裝)

1.醫學-目錄

016.41　　81001163

外文醫學參考工具書舉要（全一册）

校正者：沈寶環
著作者：顏泽湛
出版者：臺灣學生書局
本書局登記證字號：行政院新聞局局版臺業字第一一〇〇號
發行人：丁文治
發行所：臺灣學生書局
臺北市和平東路一段一九八號
郵政劃撥帳號00024668
電話：3634156
FAX：(02) 3636334
印刷所：常新印刷有限公司
地址：板橋市翠華街8巷13號
電話：9524219・9531688
香港總經銷：藝文圖書公司
地址：九龍偉業街99號連順大厦五字樓及七字樓　電話：7959595
定價 精裝新台幣三六〇元
平裝新台幣三〇〇元
中華民國八十一年三月初版

02321

ISBN 957-15-0360-6 (精裝)
ISBN 957-15-0361-4 (平裝)